目次

はじめに ── 2
ラトビアのこと ── 6

1. 森の民芸市へ ── 10

民芸市で見つけたとっておき ── 18
楽しく気高きラトビアのフォークダンス ── 22
歌こそがラトビアの魂 ── 26
クアクレ／CD／民謡ダイナ

2. 手仕事のはなし ── 30

織物 ── 32
リンバジの織物 ── 38
民族衣装、百花繚乱 ── 42
リエルワールデ帯／民族衣装アイテム／
スーベニール

陶器 ── 50
ラトビアの愛され陶器 ── 56
おもてなし／ハーブティー／蜂蜜／ライマのお菓子
小さくても特別な焼きもの ── 68

オーナメント ── 70
プズリスの作り方 ── 74
可愛いオーナメント ── 76

TLMSについて ── 80

木工 ── 82
木工の日用品 ── 88
木の道具×黒パン ── 92
木の道具×ピルツ ── 96

伝統行事や日々の暮らしに
寄り添ってきた森と木々 ── 100

編み物 ── 102
ルツァヴァの編み物 ── 106
おばあちゃんの
手編みミトンと靴下 ── 108

伝統的な結婚式 ── 114

バスケット ── 118
伝統留め／いろいろな形／細枝編み／
白樺編み／職人さん別
バスケットは1年中大忙し ── 132

文様をあしらって、
使いながらご加護を願う ── 134

3. 一期一会の雑貨 — 138

ヴィンテージ雑貨に出合える場所 — 140
ヴィンテージ雑貨コレクション／リガ磁器／リーヴァーニガラス
心躍る、古い紙もの — 152
古書 — 154

4. ラトビアの楽しみ方 — 160

リガ旧市街めぐり — 162
中央市場を歩く — 166
キッチングッズ／花市場
旧市街を飛び出して — 174
古き良き建物群
1dayリガ散策のススメ — 180
伝統料理／Rimiでお土産！
足をのばして地方へ… — 186
4つの地方／カントリーホリデイズ／博物館
四季のお祭り — 200

ラトビアの大イベント — 208

5. 旅の基礎知識 — 210

ラトビアへの行き方 — 212
情報の集め方 — 214
ラトビア豆知識 — 216
ホテル事情と選び方 — 217
お金のこと — 218

旅の持ち物 — 219
ラトビアの交通事情 — 222
荷物の送り方 — 226
使えるラトビア語 — 230

あとがき — 234
SUBARU紹介 — 236
Cilvēki, kuriem vēlos pateikt īpašu paldies — 238

ラトビアのこと

正式名称：ラトビア共和国。公用語はラトビア語、EU加盟国。

　ラトビアは北ヨーロッパに位置し、バルト海に面する小さな国。北隣りのエストニア、南隣りのリトアニアとあわせてバルト三国と呼ばれています。国土は約65,000km²、北海道の77％ほどの面積に約200万人の人々が暮らしています。最高峰でも標高312mしかない平坦な国土の大半を森が占め、湖や河川が点在する自然の豊富な国で、稀少な動植物も生育しています。日本と同様に四季があり、春の新緑、夏の花々、秋の紅葉、冬の銀世界と、美しい季節の移ろいを感じることができます。

　首都のリガは旧市街全体が世界遺産に指定されていて、ハンザ同盟時代から残る建築群が中世の雰囲気を今に伝えています。また世界で類を見ない数が残っているアールヌーボー建築群は、造形鑑賞だけでも1日中楽しめます。オペラ・バレエ・オーケストラのレベルも高く、伝統的な音楽や踊りの継承にも熱心です。お洒落で美味しいカフェやレストランも充実しています。

　また、豊かな自然や穏やかで忍耐強い国民性を背景に、ミトンに代表される編み物、リネンやウールの織物、樫やリンゴの木などから作られる木工品、手編みのバスケットなど、丁寧に作られた工芸品で溢れています。

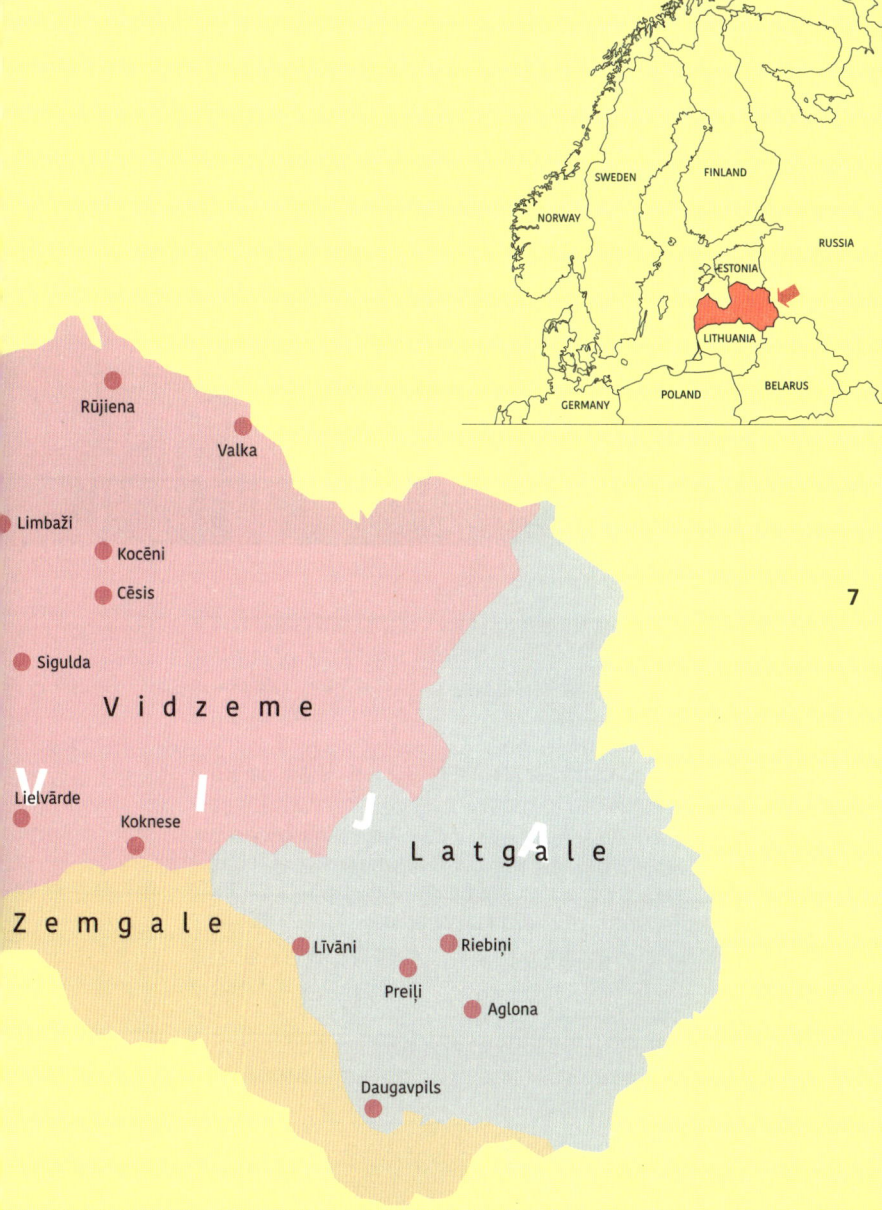

ラトビアの歴史には常に苦難がつきまといました。地理的環境からドイツ、スウェーデン、ポーランド、ロシアに支配され続けたラトビアは1918年11月18日に悲願の独立を果たしました。しかし1940年に再び旧ソ連に占領され、辛酸をなめることになります。占領下のラトビアでの生活、それは過酷で悲惨なものだったといいます。

ここに紹介したいエピソードがあります。後に出てくる織物会社リンバジュ・ティーネ代表のヤーニスお父さん、優しくて控えめで実直に生きてきたことが一目でわかる大好きなお父さんです。そんなヤーニスお父さんですが、ソ連占領下のある日、従業員の1人がラトビア国旗を隠し持っていることを知り（当時国旗を保有することは御法度中の御法度）、毛織物でラトビア国旗を復元し、「自分の国の国旗を掲げて何が悪い」とリンバジ村の中心にある建物のてっぺんに掲げたそうです。これが当時どれほど危険な行為であったか…。穏やかなヤーニスお父さんの内に秘めたラトビア人としての誇りと強さに胸がぎゅっと苦しくなりました。

苦しい生活を送りながらも歌と踊りを愛し、伝統を守り続けたラトビア人。その後1990年5月4日に独立の回復を宣言したラトビアは本来の美しい姿を取り戻し、現在にいたります。

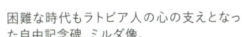

9

困難な時代もラトビア人の心の支えとなった自由記念碑、ミルダ像。

サーモンや牛のデザインだった旧通貨ラッツのコイン。

毎年発行されていた愛らしい特別柄の1ラッツ・コレクション。

1 森の民芸市へ

LATVIJA

　リガ市郊外の森にあるラトビア民族野外博物館。ここでは毎年6月に、ラトビア全土から職人さんが集まる大きな民芸市が開催されています。とっておきの品が見つかる心躍る楽しい市です。

手仕事に歌や踊り…、ラトビアのフォークロアを大満喫。

1：無数のブースが並ぶ広大な会場。2：様々なステージプログラムも要チェック。3：真剣に品定め。一点ものだらけ！4：博物館エリアはこの日も静か。

13

　ラトビア民族野外博物館は様々な時代の各地の建物群を広大な森に移築した野外の博物館で、その歴史は90年を超えています。ラトビアの伝統を伝えるこの博物館では45年もの間、毎年民芸市が開催されているのです。

　6月のラトビアは日照時間が長く、空の青、森の緑が眩しい美しい季節。ゲートをくぐり森を進むとそこは民芸市会場です。足を踏み入れた瞬間にブースの余りの多さに気持ちが一気に高揚します。並んでいるのはバスケットや木製カトラリー、リネンのクロスに陶器のお皿、蜂蜜に黒パンまで・・・。伝統を受け継ぐ作り手や若いアーティストがラトビア全土から集結し、この晴れ舞台に臨んでいます。真剣に説明する職人さん、不器用に販売するおばあちゃんやおじいちゃん、照れながらお手伝いする子どもたち、もちろんラトビア人もあれやこれやとお買い物。思わずうなってしまうような美しい工芸品からくすっと笑ってしまうとぼけた人形まで、無数に並ぶ手仕事を吟味できる最高のお買い物の場です。

　また、民族衣装を着た人々が闊歩する独特の雰囲気の中で伝統的な音楽や踊りのステージも楽しめるので、ラトビアのフォークロアを身近で感じることができる場でもあります。

博物館エリアも散策してね。かつての暮らしぶりを覗いてみて！

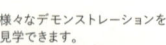
様々なデモンストレーションを見学できます。

これ素敵！ビビっとくれば仕入れの交渉。

バルト海の特産物、琥珀のアクセサリーを並べる可愛いご夫妻。

14

民芸市をぶらぶら。

野外博物館もぶ〜らぶら。

昔は掛かっているスプーンの数で家族の人数がわかったのだそう。

美術品のような造形の家具はラトビアの木工の特徴。

冬のお供、ピッパルクーカス（Piparkūkas）というクッキー。

作り手が少なくなった白樺の樹皮細工も。

ラトビアを代表する手仕事、手編みミトンも山盛り。

ミトンなどの嫁入り支度をぎっしり詰めた長持、ティーネ（Tine）。

揺りかごを兼ねたベビーベッド。

昔はこの道具でお洗濯。

人気のお菓子、チプルアク・グラウズディニ (Ķiploku grauzdiņi) は黒パンのガーリックトースト。

民族衣装の腰紐はしおりサイズでお土産に。

冬至付近に食べるズィルニ (Zirņi) という豆料理。

フードコートがあるのでお腹が減っても安心、安心。

食卓によく並ぶピーラーギ (Pirāgi) はベーコンと玉ねぎの入ったパン。自家製も多い。

ゴミ箱を隠すあたりがきれい好きなラトビア人らしいところ。

ラトビア人のアウトドア料理と言えばシャシリクス (Šašliks) というBBQ。お肉は色々。

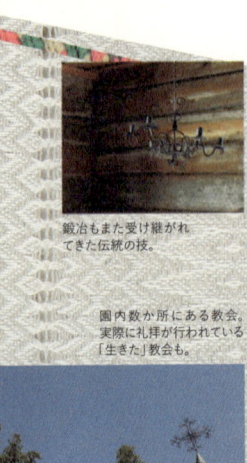

屋根には伝統的な文様ユミス (Jumis) が。

鍛冶もまた受け継がれてきた伝統の技。

園内数か所にある教会。実際に礼拝が行われている「生きた」教会も。

粉挽き風車も移築されてます。

時には踊りの輪に加わって楽しみます。

17

幹を逆さにして埋めた木柵は水を吸い上げることが少なく、腐りにくいそう。これぞ先人の知恵。

見事な造り! 美しい建築様式の木造家屋群は必見。

おばあちゃんが刺繍した文様柄のコースターとマット。

卵形の置き物…ではなく、ソルト&ペッパー。

とっても細い編み！ミニ・ミニ・ミニサイズのバスケット。

気が遠くなりそうなタティングレースの大作ドイリー。

民芸市で見つけたとっておき。

「こっちは見たかな？」「さっきのアレ、やっぱり欲しい！」会場では常に独り言大会。
「なんて美しい織物！」「これで食事をしたい！」「この人形の顔ってば！」
ホクホクの戦利品です。

民族衣装の刺繍テクニックで作られたキーホルダー。

民族衣装のブローチ、サクタ(Sakta)をかたどった陶製の壁掛け。

ビーズ織りの文様柄オーナメントは透けるときれい。

フォークロア全開！ビーズを使ったヘアバンド。

クァサ（Kosa）という植物で織られたランチョンマット。

麻の織物もラトビア伝統の手仕事です。

飾って可愛いミニミニミトン。しっかり編まれています。

折り畳み式の木製バスケットには美術品のように美しい彫りが。

買わずにいれない、おとぼけ顔の編みぐるみたち。

19

さりげなくキッチンで使いたい渋いアイアン小物。

民族衣装に合わせる革靴パスタラス（Pastalas）がキーホルダーに。

革細工も古くから伝わってきた工芸品。

琥珀と麻、ラトビアらしい組み合わせのブレスレット。

作家もののモダンな陶器は和食にも似合いそう。

素朴なのに存在感のある自然素材のブレスレット。

ピヨピヨ並ぶ姿が可愛すぎた陶製の鳥の置き物。

マッチ箱に並ぶ、小枝で出来た小さな鉛筆たち。

勝手にエンピツくんと名付けました。

会場には書籍エリアも。ラトビア人ならみんな知ってるドングリ坊やの絵本。

リエルワールデ帯（Lielvārdes josta）もこれなら持ち帰れそう。

ラトビアっぽい模様の枕カバー、表はウール・裏はリネン製。

民族衣装の腰紐ユアスタ（Josta）が格好いいキーホルダーに。

部屋が引き締まりそうなアイアン小物。釘もフックに。

INFOMĀCIJA
民芸市インフォメーション

開催場所

Latvijas etnogrāfiskais brīvdabas muzejs
ラトビア民族野外博物館

Brivibas gatve 440, Rīga
TEL: +371 67994106
OPEN: 10:00-17:00　無休
http://www.brivdabasmuzejs.lv/
1924年開園、880,000㎡もの広い敷地に118棟の古い家屋が展示されている。民芸市（Gadatirgus）は毎年6月第1週末に開催。

アクセス

Merķeļa ielaにあるバス停「Merķeļa iela」から1番のバスに乗って約40分。湖を越えたところにあるバス停「Brivdabas muzejs」で下車。帰りは反対車線、少し戻ったところにあるバス停より乗車。本数が少ないので事前に時刻表の確認を。民芸市の日は混雑するのでタクシー利用もお勧め。ただし、流しのタクシーがいないので、帰りのタクシーは電話で呼ぶ。

注意事項

- ゲートは複数あるが、正面ゲートから入った場合、右に進むと民芸市の会場。園内は広いのでゲートの料金所でマップをもらっておくと散策に便利。会場には仮設のインフォメーションセンターがあるので、ステージプログラムも入手しておきたい。
- 現金払いなので20EUR以下の紙幣やコインを多く持参するとスムーズに買い物できる。
- この時期のラトビアの天候は年によって全く異なる。冷夏の場合、暖を取れる場所がほとんどないので防寒対策を万全に。屋外なので天気が悪そうなら雨具は必須。園内は未舗装なので、雨降りの場合は長靴がお勧め。大きなカバンやリュックを持っていくとたくさん買い物ができる。地面は凸凹なのでカートは向かない。
- フードコートがあるので食事には困らないが、飲料は持参しておく方がよい。
- 民芸市ではTLMS（P.80参照）や作家さんの作品など、他で手に入れにくいものを買うことができる。また1点ものが多いので気になるものがあれば買っておきたい。
- 空いた時間にはゲートでもらったマップを片手に通常の博物館エリアも散策を。民族衣装を着た係員が当時の生活を再現しているのでタイムスリップしたかのように当時の暮らしぶりを見学できる。また、ここでは民芸市だけでなく他にも様々な年中行事を行っているのでチェックして繰り返し訪れたい。

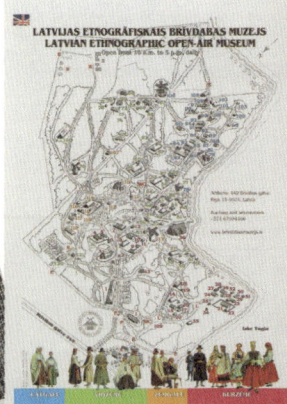

楽しく気高きラトビアの
フォークダンス。
TAUTAS DEJA

　国歌の一節に「息子たちが歌うこの場所」「私たちを幸せに躍らせてください」と出てくるほど歌と踊りを愛するラトビア人。どちらも敷居の高い"たしなみ"ではなく、人が集まるところに歌や踊りが存在するというイメージです。ラトビアにはすべての町や村に合唱団（Koris）や舞踊団（Deju kolektivi）があり、民俗芸能を継承するフォークグループ（Folkloras kopa）も多数存在します。多くの人が子どもの頃からこれらのグループに参加していますが、団体に所属していなくても普段のお祭りやパーティで歌い、踊り、育つので、自然に身についていきます。

　フォークダンスを踊る人々の表情は誇らしげで幸せに満ち溢れているよう。楽しげで凛とした踊りとその顔を見ていると、いつも温かく熱い気持ちになります。こうしたフォークダンスには昔から伝わってきた踊りと振付師が考えた新しい踊りがあります。遊びの要素があるダンスや集団での見せ方にこだわったフォークダンスも。少しやってみるとわかるのですが、振りつけはとても複雑！「パンケーキをひっくり返す時の様子」「新調したタオルが嬉しいな」など、表現する内容は可愛いものも多いというのに、何ともまぁ難しい！さらに何曲も続けて踊るので体力も必要なのです。

衣装は細部まで注目！民族衣装調のオリジナル衣装を着る舞踊団も。

いつでもどこでも踊りの輪。

25

子たちたちのダンスは元気いっぱい！
見ている側も顔がほころびます。

老若男女問わず、音楽が流れれば自然と体が動き出します。この輪に自然体で加われる日を夢見ています。

TAUTAS DZIESMAS

歌こそがラトビアの魂。

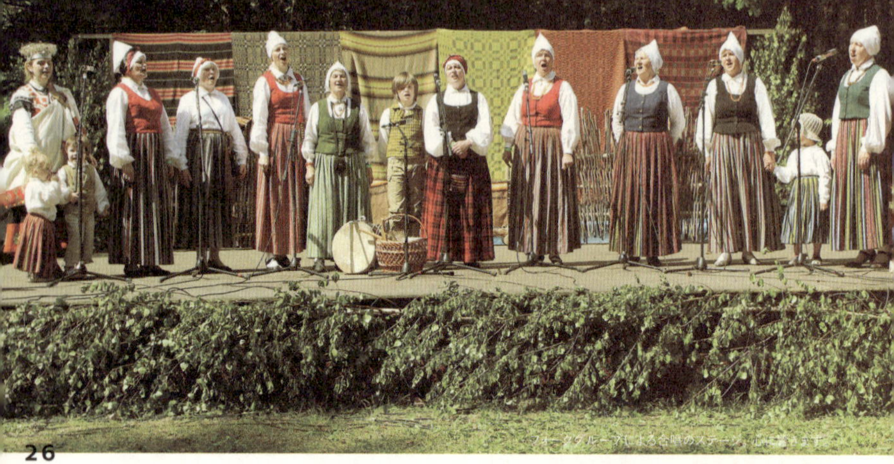

フォークグループによる合唱のステージ。心に響きます。

古代よりラトビア人は日々の生活や自然、冠婚葬祭を歌で表現してきました。人がいる場所に歌があったので、同じ歌でも地方によって歌詞や旋律が異なります。「音楽を作ったのは作曲家ではない。普通の農民の暮らしの中から生まれてきたものだ」と教えてくれたイルヂ（IĻĢI）のガティス・ガウイェニエクス（Gatis Gaujenieks）さんの言葉が印象的です。口承で伝えられたこれらの歌は、今もなお、ラトビア人の尊敬を集める音楽家達（Andrejs Jurjāns、Emilis Melngailis等）がラトビア全土を回って収集・編纂し、記録として残ることとなりました。こうして伝えられたメロディは数万曲に上ります。

歌には決まった歌詞があるものもあれば、目に見えたものを歌う即興性のあるもの、独特の合いの手が入るもの、男女に分かれて掛け合いを行うもの、とその種類は様々です。また歌の祭典（P.208参照）などで歌われる合唱曲も豊富で、合唱団では日常的に歌われています。旧ソ連体制下では、ラトビア人だけが理解できる意味の込められた歌詞の歌を歌うことで民族として繋がっていたといいます。

1

2

3

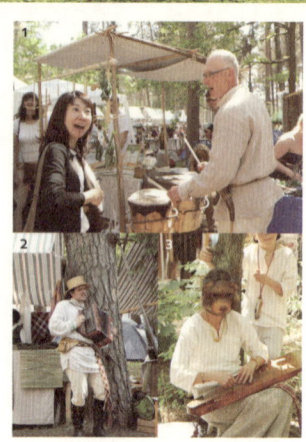

1：オーダーしてようやく手に入れた伝統的な太鼓ブンガス（Bungas）の試し打ち！ **2・3**：アコーディオンやクアクレ、他にヴァイオリンやバグパイプは伝統音楽で奏でられる楽器。

KOKLE

"楽器"以上の存在、クアクレ。

 ラトビア人なら誰でも知っているこのクアクレ（Kokle）という弦楽器は、とても特別な楽器。最古のクアクレはクルゼメ地方より出土した13世紀のもので、元々は人が亡くなった際に木から切り出してこの楽器を作り、その御霊と対話するために奏でられたそうです。形状や奏法、弦の数は地方によって異なります。近年では大型のコンサート・クアクレも作られるようになり、イベントやコンサートでよく演奏されています。一方、この小型のクアクレは未だに伝承で教わる楽器で、その音色は美しく木が発する優しさを感じます。

 「とりあえず弾いてみて。そしてできるだけ触れて楽器と友達になって。クアクレは対話の楽器だから」と、私の先生ラトヴィーテ・チルセ（Latvīte Cirse）さんは静かに微笑みます。

幼少期からフォークグループに所属していたラトヴィーテさんのクアクレ。

CDで感じる
ラトビア。

ラトビアでは様々な伝統音楽のCDが売られています。合唱団やヴォーカルアンサンブル、フォークグループがレコーディングしたもの、夏至祭やフォークダンスなどテーマ別にまとめられたコンピレーションアルバムなど多岐に渡ります。伝統的な民謡を自分たちの解釈でアレンジするポストフォークロアというジャンルも人気があり、多くのバンドが活動しています。

Ligo！Lai top！
夏至祭で歌われる音楽を集めたCD。

Rotaļas un Danči
老舗のフォークグループSKANDINIEKIによる伝統音楽集。

LATVIEŠU DANČI
ラトビアの伝統的なフォークダンス音楽集。

伝統音楽を大切にしているレーベル・ラウスカ（Lauska）はケースにもこだわりが

DIŽDUCIS
バグパイプと太鼓による編成のバンドAULIのCD。

SAUCĒJAS
SAUCĒJASは各地の民謡、歌唱法にこだわる合唱グループ。

TĀ KĀ TAKA
実力派アカペラグループLatvian VoicesのCD。

SVIESTS V
様々なバンドが民謡をアレンジしたコンピレーションアルバム。

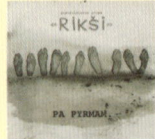

PA PYRMAM.
若手のポストフォークロア・バンドRIKŠIのCD。

GANOS
子供のフォークグループTARKŠĶIのCDブック。

LĀCENES UN KAZENES
結婚に関する音楽をフォークグループLĀNSが演奏。

Izlase
ラトビアを代表するポストフォークロア・バンドILĢIの2011年ベスト盤。

これが「民謡の戸棚」。
3cm×11cm程の紙片にダイナが
手書きされてるんだって。

民謡ダイナ。それは口伝えの4行詩。

ラトビアには古くからダイナ（Daina）と呼ばれる民謡が口承で伝えられてきました。民謡の題材は日々の暮らしから冠婚葬祭、年中行事に至り、ラトビア人の自然観や伝統が詰まっています。ただし比喩表現が多いため、字面を読むだけでは理解はできません。文化的背景を知って柔軟に解釈する必要がありますが、文章の本来の意味がわかった瞬間、脈々と受け継がれてきたラトビア人の独特の感覚に感銘を受けます。

　　Ai, Jāniti, Dieva dēls,
　　Tavu platu cepurit !
　　Visa plata pasaulite
　　Apakš tavas cepurites.

これは無数にある夏至祭のダイナの一つ。直訳すると、

　　あぁ、ヤーニス（夏至祭の主役）、神様の息子よ、
　　貴方の帽子の大きなこと！
　　広い世界は全て
　　あなたの帽子の下に

ダイナは基本的に4行詩で書かれている。

となりますが、これは「大地に太陽の恵みを」と願う歌です。

「記録」として残っていなかったこれらのダイナを、ラトビア全土を回って編纂した人物がいます。それがクリシュヤーニス・バロンス（Krišjānis Barons）で、19世紀後半から集めたダイナは20万曲を越え、今では100万曲を超えています。この活動でラトビア人を民族的に結びつけた彼がいかに大切な存在であるかは、その名がリガ新市街にある通りの名になっていたり、その顔が旧100ラッツ紙幣の図柄になっていたことにも表れています。

バロンスは手書きで集めたダイナを項目ごとに分類して民謡の戸棚ダイヌ・スカピス（Dainu skapis）に保存しましたが、その戸棚は現在も国立図書館で大切に保管されており、2001年にはユネスコの記憶遺産に登録されました。

イルヂ（ILGI）の皆さんと。イルヂは占領下の
ラトビアで伝統音楽を守ったグループです。

29

2 LATVIJA 手仕事のはなし

　初めてラトビアの手仕事を見た時、材料を生かした素朴な形から伝わってくる温かさ、きちんとした仕上がり、鮮やかな色合いに、なんて素晴らしいものに出合えたんだろう! とドキドキしたことを覚えています。フォークロアテイストのアイテムはそばにあるだけで心がなごみ、使ったり眺めたりするだけでちょっぴり幸せな気持ちになります。さらに丁寧に作られているので丈夫で長持ち。飽きのこないデザインなのでいつまでも活躍してくれます。

　歴史を少しひも解いてみると、古代から伝わるこの土地の手仕事がラトビア人のものとして記録に登場するのは16世紀にさかのぼります。当時、支配者階級に抑圧されていたラトビアの人々は、生活に必要なものを身の回りのもので整えるしか選択肢がありませんでした。幸い豊かな自然に囲まれていたラトビア、様々なものを自分たちの手で産み出すことができました。そして、日々の暮らしが少しでも明るくなるようにと、次第に装飾に凝るようになり、色鮮やかになり、美しい工芸品として開花していくことになりました。その後も歴史の波に飲まれながらも、高度な技はラトビア人の固有の財産として大切に継承されています。ラトビアの手仕事は時が築き上げた産物だったのです。

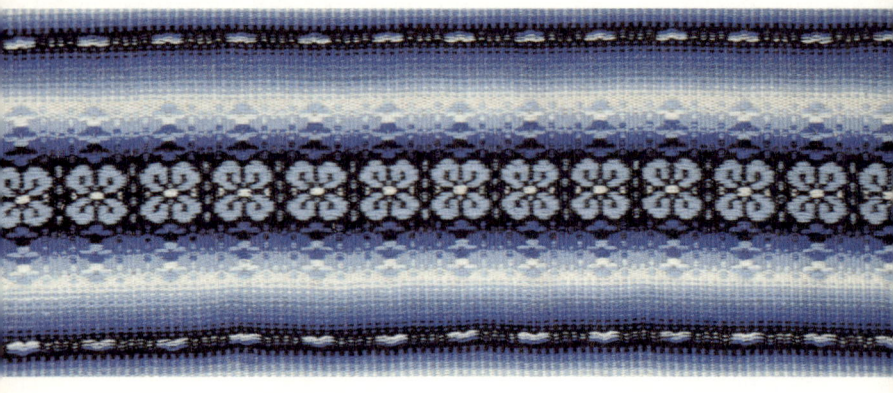

32

織物
AUSTI DARBI

民族衣装の装飾に欠かせない、ベルト織り。

33

　ラトビアの織物は独特の色合いが印象的。はっきりとした色が並んでいるのに柔らかく感じられ、そのセンスに心惹かれてしまいます。天然素材の風合いもたまりません。数ある伝統工芸の中で織物は最も発展を遂げた分野だといいます。衣装やテーブルクロス、毛布にいたるまで生活のすべての場面で必要だった織物。その技術やパターンは代々受け継がれ、柄からは地域の特色や自然の受け止め方が見て取れます。歴史的には麻と毛が使われ、のちに外来の綿も使われるようになりました。特に大判の織物は模様、色ともに凝ったデザインになっています。

　織物のうち細くて長いものが腰紐／ユアスタ(Josta)とリボン／プリエヴィーテス(Prievītes)です。腰紐は民族衣装のベルトやショールの端の装飾として、リボンは民族衣装着用時に髪を結んだり、靴下がずれ落ちないよう留めるものとして今も変わらず使われています。小さな織機を使う方法、簡単な器具を使って織る方法、正方形のカードを使ったカード織りなど織り方はいくつもあり、簡単な器具を使うものをアウデネス(Audenes)、カード織りをツェライネス(Celaines)と呼びます。大がかりな設備が要らなかったベルト織りは、古くから家庭内の手仕事として広く行われてきました。柄には10世紀以前の遥か昔から伝わってきた幾何学模様や、様々な神様のシンボルや自然が織り込まれるのが特徴です。また、緻密に織られた腰紐を並べて縫い合わせて壁飾りやマットとして使っていた地域もあり、その丹念で美しい仕事ぶりには息を呑むばかりです。

ふむふむ…

仲睦まじく分担作業。

　訪れたのはヨーロッパで1番幅が広いといわれるヴェンタの滝で有名な古都クルディーガ（Kuldīga）。中世の街並みを保つ中心地のほど近いところにズィエドゥアニス・アーブアリンシュ（Ziedonis Āboliņš）さんとイナーラ・アーブアリニャ（Ināra Āboliņa）さんご夫妻が営む工房アウデーユ・ダルプニーツァ（Audēju darbnīca）があります。

　イナーラさんの織り作業に興味を持ったズィエドゥアニスさんはそれまでのエンジニアの仕事から方向転換し、機織りの修行に励んだそう。真逆の作業のようですが、「複雑なパターン図から目数を計算し、膨大な数の縦糸を準備するのは数学そのものだよ」と笑います。それから30年が経ち、今では大型の織機はイナーラさんが、小型の織機はズィエドゥアニスさんが担当し、民族衣装、テーブルクロス、カーペットなど、すべての製品を2人の手で作り出しています。

INFOMĀCIJA
Audēju darbnīca
アウデーユ・ダルプニーツァ
http://www.audejudarbnica.lv/
民芸市や様々なイベントに出店。近い将来ワークショップも体験できる工房を作りたいのだそう。

1：お父さんが織り上げた腰紐がずらり。2：「息子も織機を使えるし、まだ赤ん坊の孫も織り機を触ったんだよ。親子3代も夢ではないよ！」と嬉しそう。3：色鮮やかな織物はクルディーガの特徴。海が近く早くから交易が盛んだった証拠です。4：ウールのスカーフ。もちろん手織りです。

カード織り体験記

複雑に絡まる糸に四苦八苦！

　カード織りは4か所に穴をあけた正方形のカードを使う技法です。初心者の私はまずきれいで簡単そうな図案と好みの糸をセレクト。使うカードは6枚、順番を間違えないようそれぞれのカードの穴すべてに糸を通します。端を結んで柱に固定し、もう片方の端を自分のお腹にくくりつけて糸をピンと張ったら準備完了！ 後は横糸を左右に通すたび、カードの束を回転させるだけなのになかなかの難しさ！ 同じペースで回しているはずのカードが勝手に何回転もしていたり、裏返っていたりと気がつけばおかしな模様に。それでもめげずにブレスレットの長さを目指します。カードを増やせばその分だけ幅広で複雑な柄も織れるのですが、私には6枚が限界！こうしてなんとか完成したブレスレットは少しびつですが、身に着けてはニマニマしています。

9つの技法を知っていますよ

ベルト織りのマスター、リリヤおばあちゃんと。

書店ではベルト織りの解説本も手に入ります。

リリヤおばあちゃんが腰紐を縫い合わせて作ったマット。美しい!!

100年間、守り抜いた織りの技術。

ウール100％の厚手のショールは暖かいのでひざ掛けとしても活用できます。民族衣装の上に羽織る人も。

　　ラトビア北部のリンバジ（Limbaži）にある織物会社リンバジュ・ティーネ（Limbažu tīne）は創業100年を超える老舗の織物会社。毛糸の生産から織り上げるまでのすべての作業を行っています。いつ訪問しても少しはにかみながら優しく迎えてくれる代表のヤーニス・クラソヴスキス（Jānis Krasovskis）お父さんは毎回丁寧に作業工程を説明してくれます。年季の入った工場は、一見殺風景に感じますが、大切に使い続けられている古い機械がずらりと並ぶ整理整頓された空間です。それぞれの持ち場で規則正しくきちんと働く職人さんたちの姿からはひたむきな熱意がひしひしと伝わってきます。工場では羊の原毛を混ぜ合わせて、布のように薄く広げながら繊維を整える作業を何度も行い、さらに細長く糸状に伸ばしてから染色し、織り糸として紡ぎます。ここまで来てようやく織りの作業が始まります。織物に応じて毛、麻、綿を使い分けています。

　　ラトビアには数えきれない種類の民族衣装があり今もハレの日に着用されていますが、これだけの種類の織物をこれだけの規模で残せたのはリンバジュ・ティーネがその技術をこつこつと守り続けてきたからなのです。

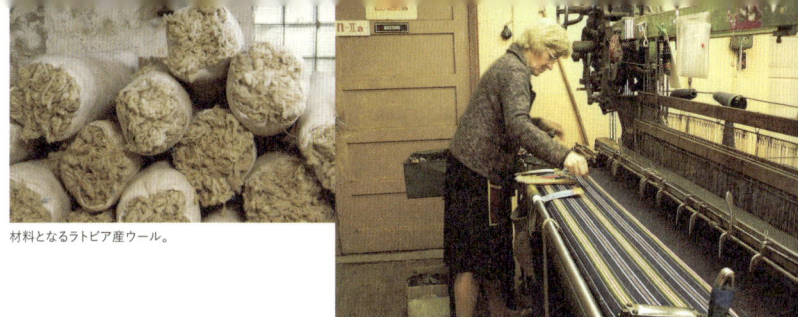

材料となるラトビア産ウール。

民族衣装のスカートを織る姿は真剣そのもの。

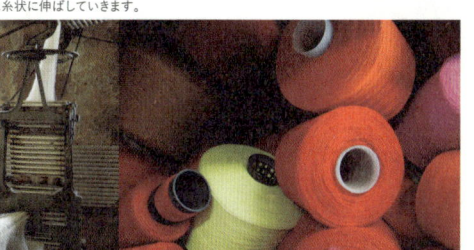

この作業を繰り返したあとに糸状に伸ばしていきます。

豊富なカラーバリエーション。

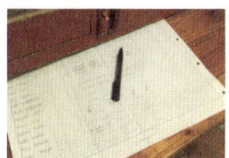

温かみを感じる手書きの出勤簿。

地方ごとに分けられた何冊にも渡る民族衣装のファイルには、村ごとに生地や糸、写真やメモ書きがきちんと整理されています。

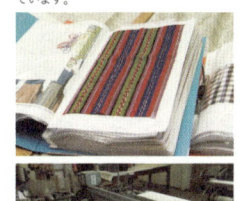

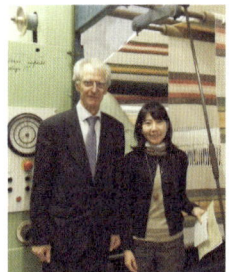

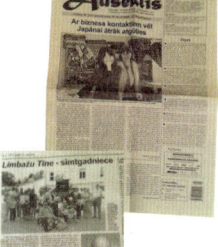

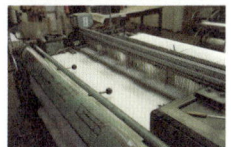

リネンとコットンのテーブルクロスを織っているところ。

色彩の正確さを保つため、無数にある色の中からぴったりの糸を準備する必要があります。

ヤーニスお父さんと初めて会った時の写真。今も変わらずコーヒーとお菓子をたっぷり準備して温かく迎えてくれます。

「日本から買いつけに」と2011年3月に地元新聞のトップニュースになりました。

Auseklis

Ar biznesa kontaktiem vēl Japānai ātrāk atgūties

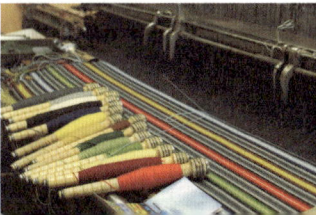

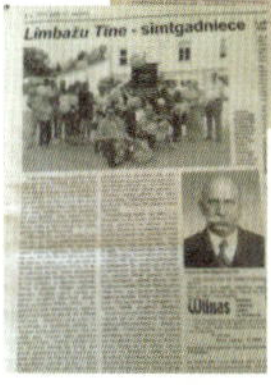

Limbažu Tine - simtgadniece

創業100周年を讃える地元新聞、2014年8月の記事。

リンバジの織物

リンバジュ・ティーネで織られているのはランチョンマット、テーブルクロス、クッションカバー、カーペットからショール、民族衣装まで生活に必要な織物のほぼすべて。伝統を踏襲したデザイン、色合いにホッとします。

縦糸に麻糸を横糸に毛糸を使用したクッションカバー。文様を浮かび上がらせたような大胆なデザインに胸キュンです。

リネンとコットン製品も古くからラトビアの日常生活に欠かせない織物。左側はヴィゼメ地方の特徴的なパターン。

こちらも麻糸と毛糸で織られたヴィゼメ地方らしい敷物。枕カバーにしたり色々と大活躍。

19世紀の初めまで黄・黄緑・オリーブ・茶・灰色がメインだった染色技術は、20世紀にかけて進歩しました

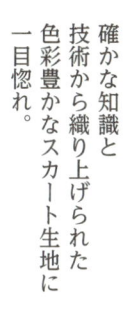

確かな知識と
技術から織り上げられた
色彩豊かなスカート生地に
一目惚れ。

39

INFOMĀCIJA
Limbažu tīne
リンバジュ・ティーネ
Pļavu iela 4, Limbaži
TEL：+371 64022528
http://www.limbazutine.lv/
敷地内に直売所あり。平日は基本的
に開いているが念のため事前に確認
を。英語不可（英文メールはOK）。

世代を超えて受け継がれた技術とパターン

ラトビアのお祭りに行くと、民族衣装の美しさ、豊富さに心を奪われます。刺繍入りのブラウスに色鮮やかでふわりと広がるスカート。凝ったデザインのベストの上には繊細な刺繍が施されたショールをまとって大きなブローチを。冠や頭巾、腰紐、靴下にもご注目。独特の色の組み合わせの織物に重厚なアクセサリーが花を添えています。しかもその種類たるや…、ときめきが止まりません！

一見すると華やかなこの民族衣装、19世紀までは入植してきた支配者階級が現地に住んでいた小作農を区別するために役立った衣装で、ラトビア人は自分たちの手で紡いで、織って、縫っていました。その後、時代の流れとともに封建制度は弱体化していきますが、反対に民族意識は高まりを見せ、20世紀には色彩や装飾に手をかけていた晴れ着が「民族衣装」として重要な存在となりました。民族衣装はそれぞれの町・村ごとに異なり、色の組み合わせや手法の違い、使用小物の種類や着用方法にそれぞれ固有の特徴があります。今も1着ずつオーダーメイドで作られる特別な衣装です。

ハレの日に着ることが多いこの民族衣装、ラトビア人の友人は袖を通すと高揚してなんとも言えない気持ちになるといいます。私の民族衣装はリンバジュ・ティーネのヤーニスお父さんがプレゼントしてくれた大切なもの。ラトビア人にとってアイデンティティの象徴のような民族衣装／タウタスタールプス（Tautastērps）、今は少しその気持ちがわかるような気がします。

あぁ美しき、民族衣装。

Kurzeme
クルゼメ地方

生地に紺色を使うことが多く、冠には真鍮やビーズなど様々な材質が用いられる。大きなブローチでショールを留める。

クルゼメの特徴である紺色の生地を使用しています。

Vidzeme
ヴィゼメ地方

スカートは色数の多いチェックやストライプ柄。ボディラインに沿ったベストやジャケットを着た上に、刺繍入りのショールをまとう。

ヴィゼメの特徴である体にフィットしたジャケットです。

LATVIJA

Kurzeme
Vidzeme
Zemgale
Latgale

41

Zemgale
ゼムガレ地方

鮮やかな花模様のようなリボン状のプリーツが入ったスカートを着用。ショールの先端にはベルト織りが縫い合わされている。

ゼムガレの特徴であるプリーツのスカートです。

Latgale
ラトガレ地方

ブラウスはスタンドカラー。手ぬぐいのように長いリネンを頭巾にする。スカート柄はチェックかストライプが多い。

ラトガレの特徴であるスタンドカラーのブラウスです。

民族衣装、百花繚乱。

お見せするのはごく一部…。ですが、これだけでもその美しさ、豊かさが見て取れます。未婚女性は冠、既婚女性は帽子状の冠や頭巾で頭を覆うのが習わしです。

42

43

リエルワールデ帯は、特別。

　リガから車で1時間ほどの町、リエルワールデ (Lielvārde) はラトビア人にとって重要な場所。この町に伝わる帯、リエルワールデス・ユアスタ (Lielvārdes josta) にはラトビア人の民俗的な世界観が詰まっています。古来から自然を信仰の対象とし神様として崇拝してきたラトビア人は、その神々を文様で表しました。この帯にはそのほとんどの文様が織り込まれています。使う素材は白いリネンと赤いウール、短いものでも3.5mあるという特徴的な織物です。

　かつては、日常生活では幅の広い帯を着用しコルセットとして体を支え、お祭りでは幅の狭い帯を3回巻いてお守りとして着用しました。無数の神様が織られているこの帯を使って、特別な日に自分の守り神を探す儀式を行う人もいるそうです。また結婚式で新郎新婦がそれぞれの守り神の箇所を自分の肩に充て、2人で1本の帯を肩に掛けるという儀式を行うこともあるそうです。

　織るパターンに決まりはありませんが、澄んだ心で作業に臨む必要があります。ある人は自分の人生を織り込んでその生涯を子や孫に伝えました。またある人は自分のため、もしくは贈る人の幸運を願って織りました。今もリエルワールデでは昔と変わらず心清らかにこの帯が織られています。

1：リエルワールデ帯には織り機を使います。2：未婚女性は先端を体の左側に垂らします。3：既婚女性は先端を正面に垂らします。

織り込まれるのは、
あまたの神様。

45

身近に手軽に、民族

あまりにも美しいラトビアの民族衣装。一式すべては難しくても、
その一部を少し日常の生活に取り入れたくなります。

❋ アクセサリー

民族衣装に使う装飾品や民族衣装調のアクセサリーは現代
の衣服に合わせてもとってもお洒落！格好良く身に着けたい
お勧めのアイテムです。

1：ビーズ刺繍をほどこしたリストバンド、細いリボンのプリエヴィーテス（Prievites）、婚約アイテムの指輪、文様をあしらったペンダントトップやブレスレット。どれも素敵です！2・3：伝統的なブローチ、サクタ（Sakta）も地方によってデザインが異なります。

衣装アイテムを。

✠ ミニ人形

お祭りや土産物屋さんで売っている人形の数々。お気に入りの場所に飾りたくなる愛らしさです。

私たち、ウールの手編みでーす。

47

私たちは木製でーす。

民族衣装を
スーベニールに。

カラフルな織物や編み物は紙物の
デザインにもぴったり。コースターや
ポストカード、ブックマークで楽しむこ
とができます

あ、リエルワールデの帯だ！

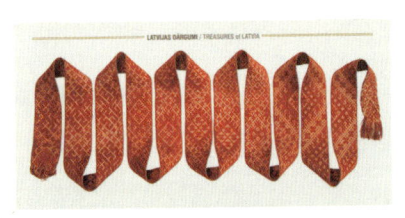

ミトンを印象的に配置したグリーティングカード。

手袋を円形に並べた正方形のポストカード。

伝統的な琥珀のアクセサリー。

サクタ（ブローチ）あれこれ。

ラトビアの編み物と言えばミトンや手袋。

49

編み物のパターンをモザイク状に配置した長方形のポストカードとミニカード。

こちらも伝統的な編み物、靴下がずらり。あでやか！

色鮮やかなブックマーク。ベルトや冠、靴下など、すべて民族衣装の一部です。

INFOMĀCIJA
NicePlace Mansards
ナイスプレイス・マンサルツ
Krišjāņa Barona iela 21、Rīga
OPEN：平日11:00-19:00、土12:00-19:00、日曜休
ラトビアにこだわったお土産を作り続けているNicePlaceが出版社と出店したショップ。民族衣装をモチーフにした紙モノなどを買うことができる。カフェも併設。

地方ごとの違いを
味わう。

50

陶器
KERAMIKA

　ぽってりとしていてどこか土っぽさの残る伝統的なラトビアの陶器は、人の手の温かみを感じるようでそっと持ち帰りたくなる一品。ジャガイモ料理を盛ろう、お気に入りの花を飾ろうと、むくむくと妄想が膨らむ陶器ですが、10-11世紀に窯とろくろが導入された陶芸は、長い間農作業の稼ぎを補うための仕事でした。19世紀になり、都市部での陶芸はギルドを仕切るドイツ人陶芸家に独占されましたが、そのおかげでラトビア人による陶芸は各地方ごとに独自の路線で育てられていくことになりました。19世紀の時点ではボウルやお皿、ピッチャーといった実用的な陶器が作られていましたが、20世紀の始めには花瓶や燭台といった装飾品の製作が始まり、幅広い種類の陶芸品が作られるようになりました。

　20世紀に設備が整い、ほぼ完成したラトビアの陶芸は今でもその地域的特徴を留めている一方で、アーティストによる新しいタイプの作品も日々生まれています。

51

ラトガレ地方の陶器
LATGALE

　ラトガレ地方の陶芸は、大規模経営化が進むことなく古くから個人や小さなグループでの作家活動が主体となってきました。ラトビアを代表する陶芸家の多くがラトガレ地方出身で、国内のみならず世界各国の展示会にも多く出展し、高い評価を得てきました。ラトビアの陶芸の装飾手法の特徴は、彫り、自由な形成、化粧掛け（絵つけの発色の為に素地の上に白い土をかけること）ですが、ラトガレ地方の陶芸はそのすべての特徴を備えていて、他と比べると凝った装飾になっています。独特の発色と優美なフォルムには本当にうっとり。今もこの地方には小規模な工房が数多く存在しています。

美しい造形を味わう。

上半分の釉薬(ゆうやく)の色を替えると窯で溶けて下半分との境目がマーブル模様に。焦げ茶の陶器は化粧掛けを行わずに焼いたもの。

ラトガレ地方の燭台は非常に凝ったものが多い。下にはポリカルプスが生前に受賞したラトピアで最も名誉ある賞の表彰状が。

　ラトガレ地方リエビニ(Riebiņi)にあるシラヤーニ(Silajāņi)はラトピアを代表する陶芸の地でした。のちに著名な陶芸家として名を馳せるポリカルプス・ツェルニャヴスキス(Polikarps Čerņavskis)はシラヤーニで修業を積んだ後、ほど近いプレイリ(Preiļi)に工房を構えました。今はヤーゼプス・ツァイツス(Jāzeps Caics)さんやライヴォ・アンデルソンス(Raivo Andersons)さんたちがその技を継承しています。

　ラトガレ地方の陶芸は黒っぽい土が特徴。自分たちの手で土を掘り、粘土を作っています。こねた粘土は何度も形を変化させながら目指す形に整えていきます。最終段階で行う飾りつけは、指で窪みをつけたり、紐状の模様を入れたり、複雑なハンドルをつけたりと、多才で見事！ 数日置いて粘土が乾

いたら化粧掛けに白い粘土を塗ります。そして今度はオーナメントを彫って最後の装飾を。

　ここでようやく色着けです。職人がそれぞれ独自の配合で銅や鉄などの金属粉を調合したを振りかけます。「気候や釉薬(ゆうやく)の状態によって窯から出すまで何色になるかわからない。それが面白いところだよ！」と2人は教えてくれました。基本的に焼きは1回。1000度で10～12時間ほど窯に入れるそうです。この1回焼きもラトガレの陶芸の特徴なんだとか。

INFOMĀCIJA
Polikarpa Čerņavska keramikas māja
ポリカルパ・ツェルニャヴスカ・ケラミカス・マーヤ
Talsu iela 21, Preiļi
TEL:+371 65322731
OPEN:不定休
博物館併設の工房も見学可能。直売コーナーあり。訪問する際は事前に予約しておくこと（あわせて英語を話せる職人さんの在廊有無も確認のこと）。

ヴィゼメ地方の陶器
VIDZEME

> ヴィゼメ地方の陶器には赤い土が使われているんだって!

絵柄の風合いを味わう。

　初めて手に入れたラトビアの陶器は控えめに花が描かれた茶色のころんとしたヴィゼメ地方のボウルでした。資本主義への移行とともに企業経営化と近代化が先に進んだこの地域では、陶器は陶芸家個人の作品というよりも企業の製品として紹介されることが大半でした。形状はシンプルで、装飾も控えめなものが多いのですが、最大の特徴は化粧掛けを行った絵つけ。素朴ながらもカラフルで味わい深い絵柄が印象的です。中でも傑出した陶器を多く生み出したイェーカブス・ドランダ（Jēkabs Dranda）の作品は工芸とデザインの博物館（P.198参照）などで見ることができます。

ヴィゼメ地方クアツェーニ (Kocēni) にあるヴァイダヴァ・ツェラミクス (Vaidava ceramics) は1980年に設立された陶器の会社。形作りや絵つけを分業し、それぞれの作業は腕利きの職人さんの手に委ねられています。不純物を取り除いて水を混ぜて空気を抜いて…、陶器の出来を左右する粘土の準備には特に気を配っているそう。1点ずつ手描きされている絵柄には味わいがあります。焼きは2回、こうすることで絵つけした色がしっかり定着するのだそうです。

　最近はモダンなデザインの陶器を作っていますが、ここで作られた伝統的な陶器は未だに広くラトビア中で使われています。

INFOMĀCIJA
Vaidava ceramics
ヴァイダヴァ・ツェラミクス
Ezela iela 2, Vaidava, Kocēnu novads
TEL: +371 64284101
http://www.vaidava.lv
事前に連絡すれば工房見学が可能。

55

クルゼメ地方の
陶器
KURZEME

素朴な質感を味わう。

　ルツァヴァ (Rucava) はクルゼメ地方最大の陶芸どころでした。その特徴は模様の描き方にあります。化粧掛けした白い粘土を細い線で削り取ることで下地の粘土の色を出し模様を描き出しました。1つの大きな柄が大部分を占め、そのモチーフには植物が多く使われたそうです。

ラトビアの
愛され陶器

56

赤い土で焼きは2回。絵つけに注目！

ヴィゼメの陶器

7：大きく並んだヒマワリ模様が可愛い。
8：足つきのマグカップ。9：色違いでおそろいのボウル。10：斜めのラインが面白い大きなピッチャー。11：使いやすい深めのボウル。12：クッキーやビスケットを入れたくなるプレート。

ラトガレの陶器

黒い土で焼きは1回。造りに注目！ずっと眺めていたい美しさです。

1：化粧掛けをせずに焼いたクリーマー。
2：繊細さと純朴さをあわせ持った花瓶。
3：シンプルなマグカップも色合いはラトガレ風。ライマの文様が。4：周囲のうねうねがとっても素敵！5：使いやすい茶系の小鉢。6：深い海のような青の発色が印象的。

毎日使いたくなる素朴さです。

57

まずは、お茶。

手作りケーキにハーブティ。心温まるおもてなし。

　ラトビアで友達の家や工房を訪れた際に驚くのは、ぬくもり溢れるお迎えの仕方。挨拶が終わると本題の前に「ケーキを作って待っていましたよ。お茶にしますか？ コーヒーにしますか？」と、温かい飲み物と一緒に得意のレシピで作ったケーキや、その家に伝わるスイーツ、郷土のお菓子が並びます。さすがに手作りお菓子は滅多にありませんが、商談で会社を訪れた際も同じなのでまたびっくり。心もお腹もほんわかと満ちていきます。

ラトビア人は薬草博士。

　ラトビア人が日常的に飲むのはザーリュ・テーヤ(Zāļu tēja)。直訳すると緑茶ですが、日本でいうところのハーブティーです。使用されるのはペパーミント、カモミール、ラズベリー、菩提樹など様々で、単独で飲んだり、ブレンドして飲んだりと人それぞれです。乾燥茶葉だけではありません。フレッシュな材料が手に入れば、そのままお湯に入れてしばらく置いてから飲みます。

　驚くのはその知識。小さな頃から培われた知恵なのでしょう。ラトビア人と一緒に森を散歩していると「これはゆっくり眠りたい時に効く草よ」「婦人科系の疾患を和らげたいならこの花ね」と教えてくれるのです。野で摘んだり、庭で育てた草花を使って自家製ハーブティーを作る人もとても多いので、手土産にもらうことも度々。特に自家製は飲むとホッとします。ラトビアでは世界でも希少な薬草が採れます。薬局でも売られていて、身体の症状を相談しながら買うことができるザーリュ・テーヤは、ラトビア人の健康の源なのかもしれません。

Zāļu tēja

乾燥茶葉は色々なメーカーが作っています。

61

レトロな紙のパッケージ。効能が書かれています。

使いやすいティーバッグ。

キッチンには自家製ハーブティーも並んでるよ！

中央：薬局で相談しながらお買い上げ。右：お湯を入れてしばらく待ちます。

Medus
すぐそばに、蜂蜜。

62

　ラトビア人の家庭には必ず蜂蜜があります。砂糖替わりに使うのですが、キュウリやイチゴ、黒パンにつけたりと、色んな食べ方をします。身内に1人は養蜂家がいるのでは？と思うほど、「おじさんの家で採れた」「義兄が作った」蜂蜜のおすそ分けをいただきます。
　一言で蜂蜜といっても、使われる花の種類が豊富なので色も味もとろみもバラエティ豊か。専門店では説明を聞きながら試食して買うことができます。

市場やお祭りでは必ず売られています。

なにより新鮮！蜂の巣ごといただくことも。

蜂小屋いろいろ

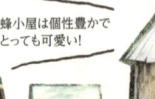

蜂小屋は個性豊かでとっても可愛い！

蜜蝋 *Kolekcija*

ラトビアの生活にキャンドルは不可欠な存在。様々なシーンで火が灯されています。教会が多いので手作りの蜜蝋もよく目にします。

1・2:リンバジュ・ティーネに飾られていたチョコの花束。創立100周年のお祝いに贈られたのだそう。3:旧市街にあるライマ時計はメジャーな待ち合わせスポット。4:チョコパッケージの可愛い看板が出迎えてくれる専門店。

1

2

3

4

Laima
みんな大好き、ライマのお菓子。

　お茶菓子やつまみ食いに欠かせないがライマ(Laima)のチョコレートやクッキー。これもまたラトビアの家庭で常備されているアイテムです。ライマは1870年までその源流を遡ることができる老舗の会社で、ラトビアのお菓子産業を支えてきました。その存在はラトビアのみならずバルト三国の中でもひと際目立っています。

　ライマのお菓子はラトビア全土で購入可能。専門店も多いですが、スーパーでも必ずといっていいほどライマコーナーがあります。個別パッケージもあれば、ギフトセットも。1番多いのは量り売りで、種類ごとに備えつけの袋に入れてレジに持っていけばOKです。

　ミエラ通り(Miera iela)に大きな工場を構えているライマ。新市街を歩いていると風向き次第で甘いカカオの香りがふわりと漂ってきます。

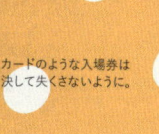

ライマを楽しむ。

　ライマは所有していた歴史的価値のある建物をリノベーションし、2014年にチョコレート博物館をオープンさせました。館内ではライマの歴史やチョコレートについて知ることができるのですが、小さなお楽しみがいくつか用意されています。

　重い扉を開けると大人でもワクワクしてしまう内装で、入場券は立派なカード。これが後々、重要になってきます。展示室に入るとチョコレートドリンクでまず一息。ドリンクを飲みながら展示を見て、次の部屋へ進みます。ここでは映像を見たり、ライマにまつわる小物を使って様々な写真や動画を撮影できるのですが、思わず夢中になってしまう楽しさ！撮影した写真や動画は入場券を使ってウェブサイトからダウンロードでき、旅の記念になります。

カードのような入場券は決して失くさないように。

名前入り！
入場券を使うと"Es Milu ○○"チョコを作れます。意味は"I Love ○○"。

INFOMĀCIJA
„Laimas" šokolādes muzejs
ライマス・ショコラーデス・ムゼイス
Miera iela 22, Riga
TEL：+371 66154777
OPEN：火～日 10:00-19:00、月曜休
http://www.laimasokoladesmuzejs.lv/
事前に予約すればガイドツアーやチョコレート作りも体験できる。

Laima
スイーツ
KOLEKCIJA

ずらりと並ぶチョコやクッキー、キャンディーなど。パッケージも愛らしくついつい手が伸びてしまいます。クリスマスやイースターなどお祭り時期にはスペシャル版も加わるので見逃せません。

旧通貨ラッツ限定コイン柄のクッキー。ラッツ・コインの魅力がわかる一品。

同じシリーズのお菓子。リスのイラストが可愛い。

層状になったワッフル生地をチョコレート・コーティング。

セルガ (Selga) はラトビア語で沖合という意味。

量り売りチョコの中で1番好きなのがこれ。包み紙がキュートで味も文句なし!

Vēsma
Laima
Vēsma
Laima
1870
RENĀDE
BĀRBELE
PIPARMĒTRU
SERENĀDE
Laima

SVILPA

UNIEKS

小さくても特別な焼きもの

　お祭りや土産物屋さんでよく見かける陶製の鳥笛、スヴィルパウニエクス（Svilpaunieks）。ほのぼのとした姿ですが、単なる子どものおもちゃではなくラトビアならではの背景を持っている笛です。伝統的な陶芸手法で作られた工芸品であり、古代から音楽と親しんできたラトビア人にとっては特別な音色のする楽器であり、古くから伝わってきた民俗学的なおもちゃでもあるのです。その形は千差万別で、遊び心満点の愛嬌ある鳥笛もあれば、文様が刻まれお守りにもなる鳥笛も。また、ラトビアに伝わる伝説をもとに形作る職人さんもいたりと、その作風は様々です。よく見ると複数の穴が開いているものが多く、2、3種の音階を吹くことができます。

　2015年上半期にEUの議長国を務めたラトビア。このスヴィルパウニエクスはラトビアを代表する公式のお土産としてヨーロッパ全土に飛び立っていきました。

69

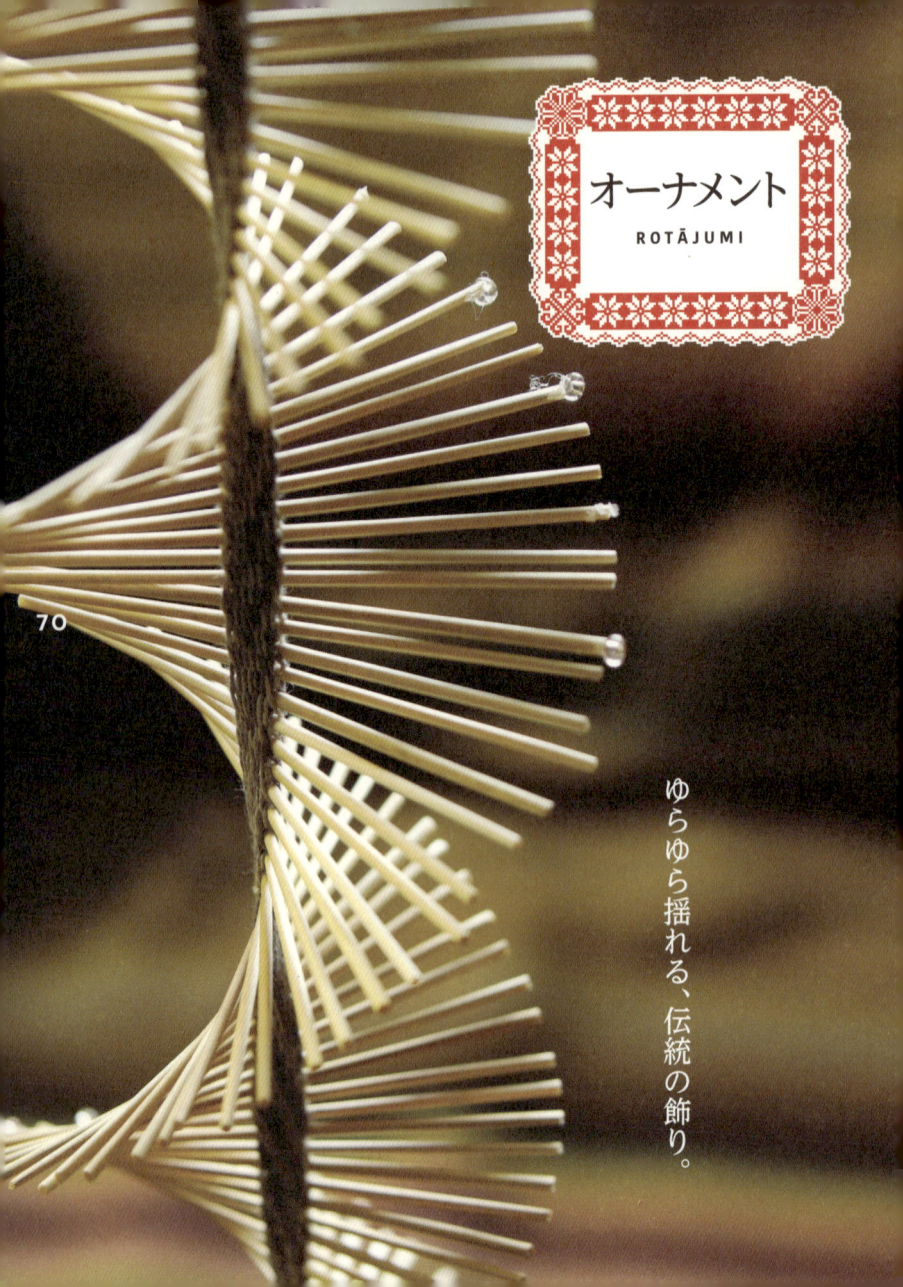

オーナメント
ROTĀJUMI

ゆらゆら揺れる、伝統の飾り。

家や店にぶらぶらと吊り下がっている素朴なラトビアのオーナメント。愛らしい形のものや意味ありげなもの、よく見ると素材も色々でついつい気になってしまいます。その中でも古くから伝わる特別なオーナメントがプズリス（Puzuris）です。

　織物やオーナメント作りといったラトビアの伝統的な手仕事に精通しているアウスマ・スパルヴィニャ（Ausma Spalviņa）おばあちゃんはプズリス（Puzuris）作りのマスター。まだソビエト支配下にあった幼少期、中国国境付近に送られたおばあちゃんは11歳でラトビアに戻ることができました。戻った先で年老いた先生がプズリスの作り方を教えてくれたそうです。民族色の強いプズリス作りは当時禁止されていましたが、ひっそりとラトビア人の間で受け継がれていたといいます。今も若い人にその意義や作り方を教えているおばあちゃん、最近行った大きな仕事のことを教えてくれました。それはラトガレ地方のある芸術大学でのプズリスの講義で、話は予定時間をはるかにオーバー。その世界観に興味を持った学生達と高さ8mもあるプズリスを作ったのだとか。

　並行して精力的に作家活動も続けるおばあちゃんはある日、オーナメントの先端にビーズをつけて飾ってみたそうです（左ページの写真）。ほどなくして古代のラトビア人が水晶を使って同じ飾りつけを行っていたことがわかって大変驚いたといいます。「あのね、興味を持って動いていれば、答えは向こうからやってくるのよ」と大切なことを教えてくれました。

先端に羽根をつけると幸せをもたらすモチーフに。

　ラトビアでは三角形は神様ディエヴス（Dievs）の印。ピラミッドを上下にくっつけたようなプズリスの基本の形には、接面を中心に地下・地上・天空、過去・現在・未来という意味が、また4つの面には東西南北、四季という意味が込められています。それぞれのパーツは1つの細胞であり一個人。このパーツをいくつも使ってより大きなプズリスを作ることで、小さな細胞から成り立っているこの宇宙を、個人が家族を形成し、親戚を形成し、人の輪が広がっていくというこの世界を表しています。

「私は名字に"羽根（Spalva）"が入ってるから、使うのが好きなのよ」と茶目っ気たっぷり。

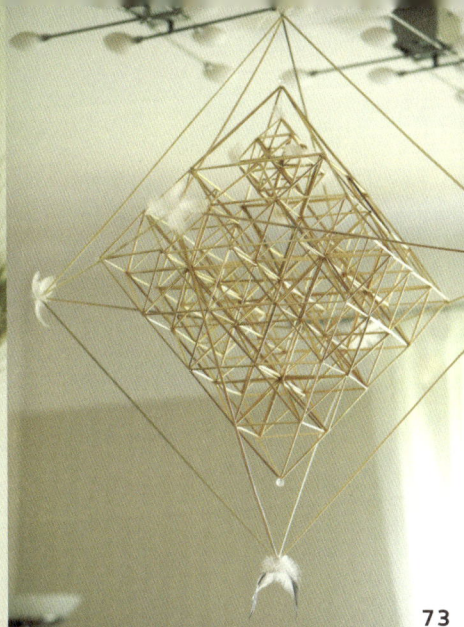

材料はオート麦が多いですが、ライ麦を使えばより大きなエネルギーを得ることができるのだそう。

　基本形は同じでもパーツの組み合わせ方は作り手の自由なので、プズリスのデザインは無限にあるといえます。先端に羽根や卵の殻をつけることもよくあります。
　伝統的には冬至祭やイースターのお祭りに合わせて作られたり、ニンニクを入れて新生児に贈られたりしました。それ以外でも安寧をもたらすお守りとして年中部屋に飾られています。また部屋に飾ることによって特別なエネルギーを与えてくれるといわれています。

Sākums!

プズリスの作り方

同じ長さの麦わらを12本選ぶ。

麦わら12本分以上の長さの麻糸を通した長い針を準備。

針を3本の茎に通し三角形を作って玉結び。

続いて2本通して玉結び。

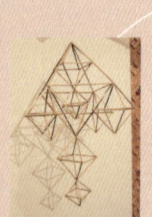

中心線上に結びつけるとさらに複雑なプズリスに。

さらに小さいプズリスを2つ作る。

やや複雑なプズリスが完成。

小さいプズリスを最初のプズリスの頂点全部で玉結び。

おまけにもう1つ!

わ〜い、完成!!

Beigas

工程は簡単ですが日本では材料の入手に悩むプズリス作り。最近ラトビアではプズリス作りのキットが売られています。針や糸までセットされていてとても便利なキットです。

作り出したら止まらないプズリス作り。
もう1つ、もう1つ！と段々大きくなっていきます。

さらに2本通して玉結び。

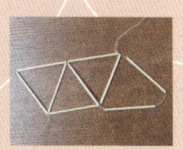

もう一度2本通して玉結び。

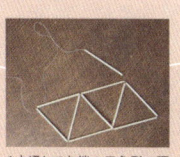

1本通して左端の三角形の頂点に巻きつけて玉結び。

すると、こんな具合に。形が見えてきました！

1本通してプズリスを持ち上げ、下にできた三角形の頂点で玉結び。

75

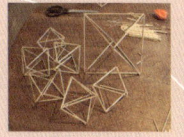

小さいプズリスを6つ作る。

この先は基本形をいくつも作って自由に組合せ。例えば半分の長さの麦わらで。

最後の1本を通して残った頂点で玉結びにすると基本形の完成！

やったー！
できた！

太陽のオーナメントのこと

太陽を表すサウリーテ（Saulite）も伝統的なオーナメント。中心の1点から始まり次第に大きくなる巻き方には、宇宙に通ずる世界観が込められています。クルゼメ地方では水平に重ねて結婚式用のオーナメントとしても使われました。

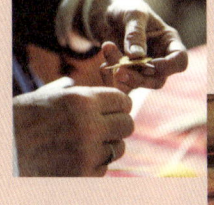

こちらは太陽の形。

ぴよぴよ、ぴよぴよ、羽ばたいています。

ラトビアで馬蹄はハッピーアイテム。下開きで飾ると悲しみを下へ落としてくれます。

天使の形のオーナメントも。

ハート形も何だかお洒落。

モチーフいろいろ
可愛いオーナメント

ラトビアでは自然素材から様々なオーナメントが作られています。
神様の文様や動植物を表していたり、単なる装飾であったり…。
どれも素朴で温かみがあるので、そっと飾りたくなります。
左のページはバスケットと同じ柳で、右のページはヨシとスゲで作られています。

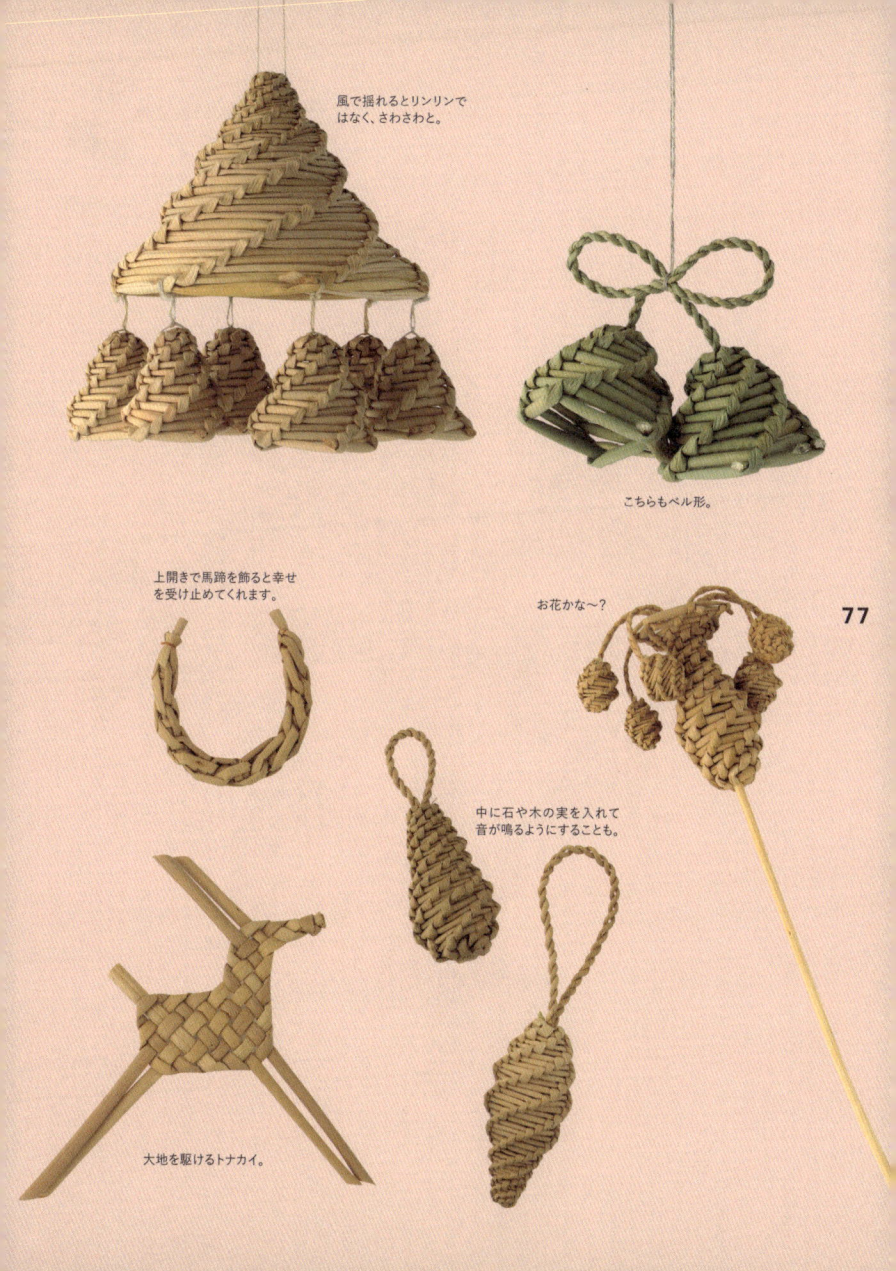

風で揺れるとリンリンで
はなく、さわさわと。

こちらもベル形。

77

上開きで馬蹄を飾ると幸せ
を受け止めてくれます。

お花かな〜？

中に石や木の実を入れて
音が鳴るようにすることも。

大地を駆けるトナカイ。

複雑で大きな
このオーナメントも
太陽を表しているんだって!

78

風を受けて回転するステップ状のオーナメント。

79

表裏で異なる模様が彫られた木製オーナメント。

クルゼメ地方の町タルスィ(Talsi)のシンボル、こちらも太陽のオーナメント。

この3つの文様は組み合わせると「家の守り神」の意味に。

STĀSTS Nr.1 TLMSについて

確かに伝わる手仕事の数々。

　ラトビアにおける手仕事の担い手は、小規模な会社組織、個人の作家、そしてタウタス・リエティシュチャース・マークスラス・ストゥディヤ (Tautas lietišķās mākslas studija、以下TLMS) と呼ばれる伝統工芸工房のサークルに大別できます。驚くのは、このTLMSが編み物、織物、バスケット作りなどの内容ごとにラトビア全土で結成されていること。どのTLMSも独自のサークル名をつけて週1回ほど集まり、先生役のリーダーを中心に楽しく活動しています。古い資料を大切にひも解きながら、お互いの技術を共有し日々熱心に取り組んでいて、何十年も活動を続けているTLMSも珍しくありません。

　ラトビアは国や自治体を挙げて「手仕事は次世代に残すべきラトビア固有の財産」ととらえていて、ともすれば資本主義経済の中で淘汰されかねない工芸品やそれを受け継ぐ職人を保護する施策を打ち出しています。また、各地のTLMS参加メンバーで結成されたラトビア民族工芸組合 (Latviešu tautas mākslas savienība) は行政と連携し、一般の人が気軽に手仕事に触れることのできるイベントを開催したり、国外の展示会に出展したりと精力的に活動を続けています。

　なりわいとしての手工芸は後継者不足でこの先少なくなるかもしれませんが、このTLMSとラトビア人が存在する限り、ラトビアの手仕事は脈々と受け継がれていくような気がします。

明子作

赤ちゃんと
初対面!

産休中のイヴェタ・プットニャ(Iveta Putniņa)先生と。

「やってみたかった」をやってみた

　ラトビアで暮らしていた1年半、私はオーナメントなどを作るTLMS"Ataudze"に参加していました。1969年に結成された歴史あるTLMSです。ドキドキしながら初めて参加した日、言葉もまだ満足に話せなかった私に先生や他のメンバーが優しく教えてくれました。いくつか作品を作り上げ、帰りに受付で「参加費は?」と聞いたところ、「もちろん無料よ! ラトビアの手仕事に触れてくれているのにお金なんて取るわけないじゃない!」と朗らかに返され、驚きと感動が入り混じった気持ちになりました。それから毎週誰かが持ってきたお菓子をつまみながら、コツコツと作品作り。途中、産休交代があったので先生は2人。どちらも1から10まで丁寧に教えてくれました。

　自然素材を手に黙々とモノを作る作業は、頭が空っぽになって心地よい時間でした。今でも連絡をくれるゲルマンス(Germans)くんという少年、毎週熱心に参加していました。「もうすぐイースターだからね」「夏至祭に間に合わせたいんだ」と、暦とにらめっこしながら一生懸命。こういう少年たちが大人になったらどんな世の中になるんだろう! とゲルマンスくんの存在にも胸打たれた時間でした。

ゲルマンスくんと。花冠はゲルマンスくん作。

イネタ先生が書いた解説本。

イネタ・ヴェーヴェレ(Ineta Vēvere)先生。

81

ハンノキ（Alksnis）
とても加工しやすい。

オーク（Ozols）
とても硬くて重く、水に強い。

リンゴ（Ābele）
硬くて、磨くと光沢が出る。

ネズ（Kadiķis）
香りがよく、抗菌作用がある。

木工
KOKA
DARINĀJUMI

　自然豊かな大地の中でラトビア人は古くから木々と親しみ、生活の中で活用してきました。家屋、船、家具、馬具、おもちゃや楽器、そして生活用品にいたるまでその多くを木から生み出しました。加工しやすく、すぐそばにあった木はうってつけの材料だったのです。特徴的なのは建具や家具で、細部まで凝った造形美にはただただ見惚れるばかり。この独特の建築様式はのちにリガにおけるアールヌーボー建築にも影響を与えたといいます。

- アッシュ(Osis)
  硬くて弾力性がある。
- プラム(Plūme)
  硬くて、磨くと光沢が出る。
- サクラ(Kirsis)
  硬くて、磨くと光沢が出る。
- ウォールナット(Valrieksts)
  硬くて重く、衝撃に強い。

一体何になるのかな？

もしかして…？

　また、キッチンツールといった実用品にはそれぞれの木の特徴や天然の木目・色味が生かされ、丁寧に作り出されています。手にしっくりとくる木の道具は1度使うとやめられません。ラトビア人の卓越した知識と技術は今も変わらず日常の生活の中で利用されています。

温もりのある、実用品。

83

オーダーしたサンプル皿&スプーン

番犬リオくん、冬は薪ストーブの前が定位置。

ロベルツお父さん
「面白い新作ができたよ！ 見てみるかい？」

ロ「最近はどうしてたんだい？」
あ「毎日お出かけしてる。昨日はクルディーガに行ったよ。」
ロ「クルディーガかい？ 明日行くんだよ。」
あ「え、そうなの？」
ロ「母さんが住んでるんだ。夜に出て1泊してくるつもりさ。クルディーガに行ったなら、ちゃんと滝は見ただろうね？」
あ「えぇっと…。昨日は行けなかったけど、前に川遊びをしてきたよ！ 広い滝だね。」
ロ「ヨーロッパで1番広いからね。くつろぐにはとてもいい場所だよ。そうだ！ 新しい木材が入ったんだ。見てごらん。」
あ「きれいな木！」
ロ「そうだろう？ この木目が美しいんだ。木は1つずつ違うから面白い。」

やっぱりここでも、「まずは、お茶。」
広い庭には出番を待つ原木が。

あきこ
「えー？何これ？？ スプーン？？」

あ「ほんとだね。」
ロ「こっちを見てごらん。」
あ「黒いけど…?」
ロ「昔打ち込まれた釘の鉄分が黒く定着して、水分とともに広がっていったんだよ。」
あ「へぇ〜、面白いね〜。」
ロ「今から仕上げの作業をするのだけれど、ちょっとやってみるかい？」
あ「やってみたい！」
ロ「サンドペーパーで磨いていくんだよ。」
あ「こんな感じ？」
ロ「そうそう。いい調子だ。」
あ「つるつるになって楽しいけど…、あー、なんて大変！」

ははは！もう少し力を入れてごらん

1:広い庭で揺れるお手製のブランコ。2:作りかけすらカッコいい! 3:文字入れはお母さんの担当。4:敷地内に残る古い家屋が作業場。5:溶かした蜜蝋で磨いて仕上げます。6:お父さんとリンゴの花咲く庭をお散歩。7:ここにも出番を待つ材料が。

こんな感じかな？

はい、チーズ！

　ロベルツ・レイターンス（Roberts Leitāns）お父さんとエヴィヤ・ルクマネ（Evija Rukmane）お母さんのご夫妻はリガ市郊外に居宅兼工房を構えています。ここで日々二人で相談しながらいろいろなアイテムを生み出しています。民芸市などのイベントでは英語のわかる娘さんたちがお手伝いしているのも微笑ましい光景。木の表情を見ながら形を決めるので、「スプーン」「ターナー」といっても2つとして同じデザインのものはありません。原木から切り出して、ベルトサンダーで磨いて、サンドペーパーで仕上げ、常に木目を意識しています。人の手に馴染むように作られたフォルムは味があって使いやすく、時間の経過とともに深い色合いに変化していく過程も楽しめます。

INFOMĀCIJA
Koka lietu darbnīca
クアカ・リエトゥ・ダルブニーツァ
http://www.kokalietudarbnica.lv/
旧市街にある年中無休のクラフトマーケット（Egle Latvijas amatnieku tirziņš）に販売ブースがある。

手にしてほしい
木工の日用品

この向きでトレイ、裏返すとカッティングボードに。

小さなカッティングボードはささっと使えて便利。

ハンドル部分のネズ細工が美しいターナー。

木製レードルなら味見も火傷の心配なし。

優美なハンドルのターナー。

蓋つきの入れ物。何を入れようかな〜。

スプーン、フォーク、器や「これは何なの？」というものまで、職人さんたちの個性溢れる仕事ぶり。使いやすい木の道具は水に浸したままにさえしなければ、他のキッチンアイテムと同じように取り扱ってOKです。

斧じゃないよ！
バターナイフだよ！

樹皮を残し木の面白み
を生かしたパスタサー
バー。

味わい深い形の小さじ。

89

こっちはハサミ
じゃなくてトングだよ！

なんとも素朴な木の小鉢。

平行に置けるのでナッ
ツ類を入れてお皿代わ
りにしても◎。

90

両方に柄のある
このスプーン、
結婚式で新郎新婦が
一緒に持ってスープを
飲むんだって!

ころんとしたフォルムが
可愛い木のカップ。

美しすぎるシュガーポット。
スプーンつき。

バターナイフとスプーン。木も形も色々です。

細〜いスプーンやフォークも!

ハート形にくり抜かれた器。ずっしりと重い。

とろとろのスープをかき混ぜたくなります。

トングも木製だととっても素敵。

ネズ細工が美しいコースター。いい香り!

91

なんておしゃれな袋留め!

オークのトレイ。しっかり丈夫。

木の道具×黒パン

"食"を支え続けた木の道具。

　ルピマイゼ（Rupjmaize）とは黒パンのこと。お腹の持ちがよく、独特の酸味がクセになります。ライ麦でできたこのパンをラトビア人は昔から主食として食べてきました。そして黒パンそのものだけではなく、パン作りに必要なたらいや臼、へらなどの道具も自分たちの手で木から作り出してきました。

　黒パンは伝統的な暮らしの中で"食"以外の部分でも大切な役割を果たしてきました。硬いパンのへたを子供に噛ませて歯を丈夫にする、挙式の7日前に新婦は義母に黒パンを作って料理の腕前を披露する、といった実用的な役割から、へたを99回噛み100回目で外へ投げると伴侶に出会える、新郎新婦が新居に入る際に黒パンと塩をお供えする、などの習わしまで黒パンにまつわる話はとても多いのです。

　昔ながらの製法で作られている黒パンは今も健在で、そこでは変わらず木の道具が活躍しています。

93

収穫の時期、黄金色になるライ麦畑。

パンを焼く前に指で生地に文様を刻み、神様の恵みに感謝することも。

この大きなへらはパン生地を窯へ出し入れする道具。パンがはがれやすいように表面には草が敷かれました。

結婚式で新婦が裏返したたらいに座って豊穣を祈願したり、硬貨・塩・パンと一緒に新生児をたらいで洗って健やかな発育を祈願する風習もあったそうです。

95

「食卓にいつものパンがあるように
食卓にみんなが集まるように」

木の道具×ピルツ

ピルツに欠かせないフェルトの帽子。頭を熱から守ることできるので長時間入ってもへっちゃらに。

"住"を支え続けた木の道具。

　ピルツ(Pirts)とはラトビアの伝統的な蒸し風呂方式のサウナのことで、その歴史は数百年になるといいます。ピルツは数時間かけて楽しむのが一般的。薪を燃やして温められた室内には温度の上昇で熱くなった石があり、何度もこの石に木桶でお湯をかけて蒸気を発生させます。石にお湯がかかった瞬間、シュワーっという大きな音と共に高温の水蒸気が室内いっぱいに広がります。思わず目をギュッと閉じ、身体が熱い湯気に包まれるのを感じます。また、途中、樫や白樺の枝でできたハタキを使って身体をバシバシと叩きます。大きな音が室内に響くのですが、こうすることで身体にはマッサージ効果があり、アロマのように木の香りが室内に広がり、室内の不均一な蒸気をかき混ぜる効果が生まれるのです。身体が熱くなったら外へ出て池へジャンプ。こうしてピルツと池を往復することで、血行の流れがよくなり身体はずっとぽかぽかに。

　木でできた室内には、木のアイテムがずらり。木製の浴槽がある場合もあります。古くはスモーク小屋として使ったり出産の場所にもなっていたというピルツは、ラトビア人の生活に欠かせない場所なのです。

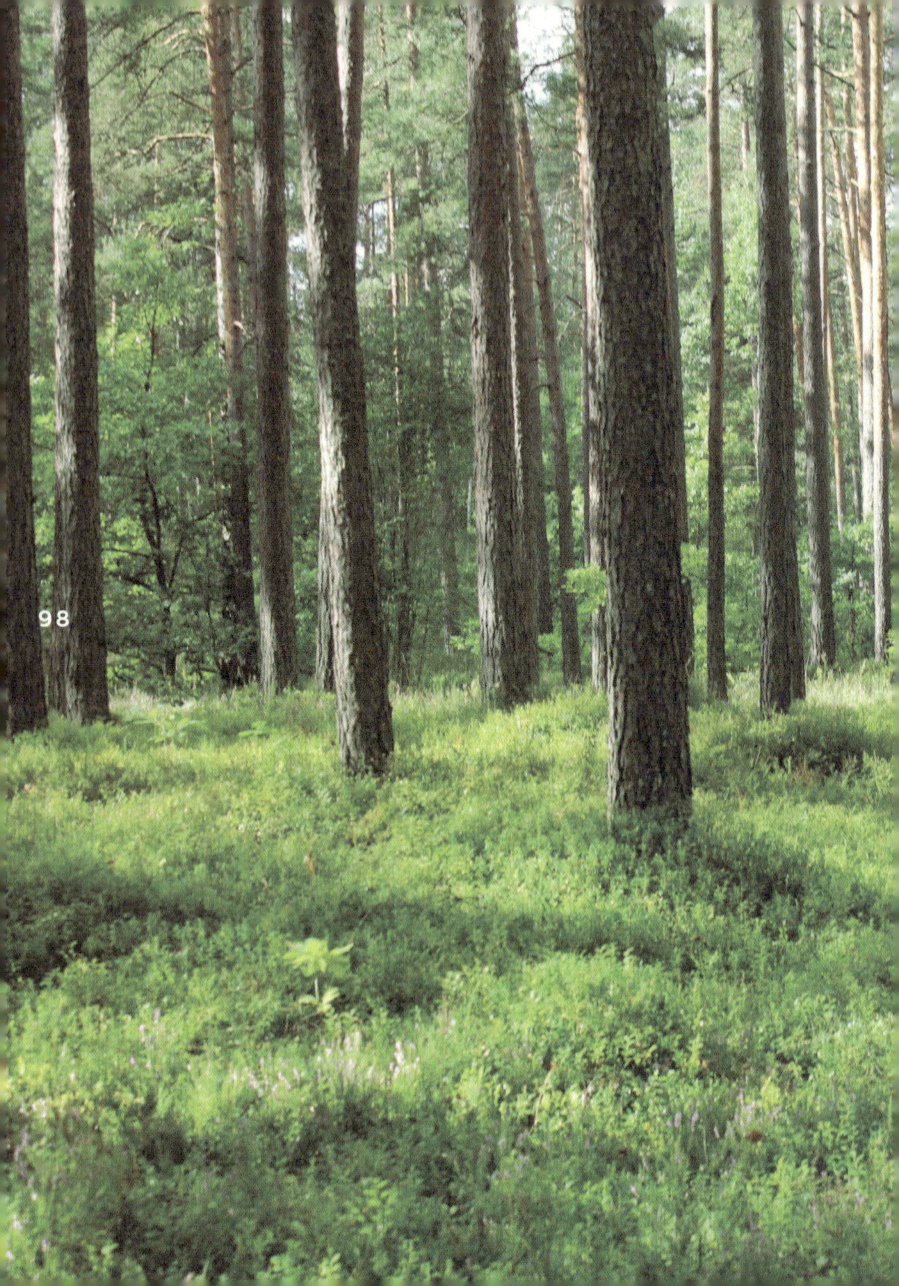

99

STĀSTS Nr.2
伝統行事や日々の暮らしに寄り添ってきた森と木々。

採れたての白樺ジュースは透明でやや甘みがあり新鮮な味。時間が経つと酸味が増します。

ラトビア人と自然は切っても切り離せません。都市部で働くサラリーマンもおしゃれにこだわる人も、みんなこぞって森や海、川や湖といった自然の中で余暇を過ごします。その中でも森は恵みの宝庫。木々は生活に必要な家屋や道具の材料となり、時にお祭りに欠かせない小道具として用いられ、森の恵みは大切な食料となってきました。春の白樺ジュースに始まり、夏のベリー摘み、秋のキノコ狩り、クリスマスが近くなればモミの木を伐りに家族や友人と森へ向かいます。もちろん何をするでもなく、ただ散歩することも。キャリアウーマンの友人でさえ、他のEU諸国やアメリカに行くと息苦しく感じると話していたのを思い出します。ゆったりとした時間が流れるラトビアの暮らしはシンプルで自然体。これこそが本来あるべき姿なのかもと考えてしまいました。

白樺
BĒRZS

ラトビアの風景で印象的なのが白樺/ベールズ（Bērzs）の木立ち。白樺は生活に密接に関わってきた木の1つで、国の財産として古くから活用され、植林されてきました。また、春を告げる使者としての役割もあります。それは、芽吹く直前の僅かな期間だけ採れる白樺のジュース（Bērzu sula）。幹にぐさりと管を突き刺して樹液を採取したもので、春先になると今か今かと誰もがそわそわ。「白樺のジュースが採れ始めたよ」と話題に上がると春はすぐそこなのです。

樫
OZOLS

樫と菩提樹

古くから、樫/ウアゾアルス(Ozols)はその特性から生活道具として、菩提樹/リエパ(Liepa)はその効能からハーブティや養蜂に活用されてきました。また、ラトビアの慣習では樫は男性の象徴、菩提樹は女性の象徴とされ、神聖視されてきた特別な存在。民謡ダイナにもよく登場します。

菩提樹
LIEPA

夏至祭で男性がかぶる樫の葉の冠。

一般家庭でも乾燥茶葉として常備！

菩提樹はハーブティーに。

ダイナ
DAINA

Stājiesi, ozoli,	動かないで、樫よ、
Sētsētas vidū,	農園の真ん中で、
Pārvedīs liepiņu,	菩提樹を連れて来て、
Stādīs blakām.	傍に植える。

（樫と菩提樹を比喩で使い、夫婦になることを表現しています）

編み物
ADĪJUMI

長い冬の国だから…。

「この国の季節は2つ。ウィンターとグリーンウィンターしかないからね」という冗談をラトビア人はよく口にします。実際はきっちり四季があるのですが、思わずそんな言葉が出るくらい寒さと隣り合わせのこの国では、編み物は古来より日々の暮らしで欠かせない手仕事でした。他の工芸品と大きく違う特徴は編む人の多さ。特別な技術が必要な職人技としてではなく、家仕事の1つとして、編み物は親から子へ、子から孫へと代々教えられてきました。

伝統的に編まれてきたのはミトン、手袋、靴下。近年ではセーターやジャケットなども。昔はすべての女性が嫁入り道具として数百組のミトンを編んでいたことからもわかるように、上手下手の差はあれど編み物は誰もが当然のように行う手仕事だったのです。その結果、模様には個々の地方の特徴や色使いが強く反映され、種類も大変豊富なものとなっています。鮮やかな模様は冬のお出かけをウキウキ気分にしてくれ、細い毛糸でぎゅっと編まれているのでぽかぽかと暖かいです。今でも編み物はラトビアで最も人気があるといっても過言ではない実用性を兼ねた趣味として、暖かい季節は庭仕事に励んでいた人々が、寒くなると一斉に編み物を始めます。

103

編み物や織物が盛んだったラトビアでは毛糸も古くから作られてきました。

104

新しい柄の編み物が日々誕生する一方で、代々伝わってきた伝統的な柄も変わらず編まれ続けています。使われる毛糸はとにかく細く、使う色の数だけ層となり、みっちりと編まれているのでその温かさは折り紙つきです。

105

ルツァヴァの編み物

106

ラトビアの西南端にあるルツァヴァ（Rucava）は特別な場所。西にバルト海、南にリトアニアというラトビアの文化から隔てられた特異な場所にあるルツァヴァでは、手仕事は海外の影響を受けることが多く独自の進化を遂げました。花模様のスカーフなどが外国から入り、そのデザインは工芸品にも取り入れられました。こうして生まれたのがルツァヴァの編み物で、ラトビアの伝統的な文様より花柄が多いのが特徴です。

手編みミトンと靴下

まだまだあります。おばあちゃんの

数ある編み物の中でもミトン (Cimdi) は別格の存在。世界最古のミトンはラトビアから出土しています。伝統的な文様や自然のモチーフが編みこまれたミトンは防寒対策だけでなく、様々なしきたりの小道具として重要な役割を担ってきました。

靴下 (Zeķes) も、伝統的な編み物。温かいよー！

109

ラトビアのミトンは細い五本針で編まれ、先端は三角形。民俗学的に正統な柄、伝統的な文様やモチーフを組み合わせた柄、独創的にデザインされた柄と、様々なバリエーションを楽しめます。

110

111

お土産用のミニミニミトンも五本針で。なんてキュート！

手編みミトンといえば、ここ。
TĪNES

リガ市旧市街にオフィスと直営店を構える編み物専門店のティーネス（Tīnes）。様々な資料から集めた伝統的なミトンや手袋、靴下の図案（時にはアレンジを加えて）と天然素材の毛糸をラトビア全土に散らばる熟練のニッターさんに手渡して作品を編んでもらっています。お抱えのニッターさんの数は何と80人以上！ほとんどが編み物歴数十年のおばあちゃんで、自宅で丁寧に手編みしています。こうしてできあがってきた作品は編み目が細かくて美しく高品質なものばかり。ティーネスオリジナルのアイテムと合わせてお買い物を楽しめます。

INFOMĀCIJA
Riharda Vāgnera iela 5, Riga
OPEN:
月 - 土11:00-19:00、
日11:00-16:00
http://www.tines.lv/

リガの頼れる手芸屋さん。
Hobbywool

　こちらもリガ旧市街にアトリエ兼ショップを構える手芸店のホビーウール（Hobbywool）。見応えあるお洒落なディスプレイのこのお店、ニット製品なら伝統的なデザインから現代的なものまで多彩なアイテムが揃っています。ラトビア国内外から取り寄せた毛糸や編み針も販売しているので、地元のニッターさんも御用達の場所。他にもユニークなアイテムが並んでいるのでお土産探しにもぴったりのお店です。

INFOMĀCIJA
Mazā pils iela 6, Riga
OPEN:
月-土10:00-18:00、日11:00-15:00
http://www.hobbywool.com/

これは
ヴィゼメ地方の柄!

ホビーウールでは編む楽しさを実感してほしいと、キットも企画販売しています。シリーズで用意されている柄は文献から集めてきたこだわりの模様ばかり。リンバジュ・ティーネで作られたラトビア産の毛糸とパターン図がセットされています。

STĀSTS Nr.3
自然の中で祝福を。伝統的な結婚式。

　数日間かけて行われるラトビアの結婚式。歌や踊り、御馳走に囲まれて家族や親戚、友人達と過ごすパーティの時間が大半を占めますが、新婦が着用している民族衣装の冠（未婚の証）を頭巾（既婚の証）に取り替える儀式や、新婦を抱きかかえた新郎が7つの橋を渡るという儀式などの伝統的な風習を行うこともあります。親しい人たちに囲まれて、眩しい自然の中で祝福を受ける結婚式は、出産、葬式と並ぶ人生最大の儀礼だととらえられてきました。

115

毛糸で作られたリーズィナーシャナの紐。

毛糸にまつわるしきたり。

その昔、結婚を申し込まれた女性は肯定の返事を言葉で発する代わりに手編みのミトンを男性に贈りました。花嫁は何年もかけて編んだ数百組のミトンを長持ち/ティーネ (Tīne) に入れて持参し、結婚式の参列者に配りました。また、新婦は新郎に手渡す白い手袋を腰紐に吊り下げて結婚式に参列し、手渡された手袋をはめ、剣を手にした新郎が未婚を示す花嫁の冠を剣先に引っ掛けて外しました。

面白いのが紐を使ったリーズィナーシャナ (Līdzināšana) という儀式。濃淡の2色の毛糸をよって作った紐の両端を新郎と新婦が持ち、それぞれ7回よじって手を放し、できた目の数や形状で子どもの数やこれからの人生を占ったそうです。このように伝統的な結婚式には毛糸にまつわる数々のしきたりが存在しています。

左側の普通サイズのミトンの2倍ある右側の大きなミトンは新郎新婦が初めて新居に入る際に、手を繋いだまま一緒にはめて扉をくぐったのだそう。

117

バスケット
PINUMI

119

運んだり、片づけたり、の必需品。

バスケット編みは力仕事。
職人に男性が多いのも頷けます。

柳の育成から
編み上げるまでの大仕事。

　ラトビアのバスケットは網み目がきれいで美しく、とてもしっかりしていて機能性も抜群なので、家で、お出かけで、がんがん使っています。このバスケット編みは太古の昔に始まった手仕事。自然豊かなラトビアでは材料が豊富に揃い、柳、松や白樺の樹皮、トウヒの根、麦わら、葦などが使われてきました。高品質で種類豊かなバスケットは今もラトビア中の家庭やお店で大活躍しています。大物、小物を問わず収納全般に使ったり、収穫した野菜や果実を入れて運んだり、釣りの道具に使ったり、その用途は様々です。

　リガ市郊外にあるピヌム・パサウレ (Pinumu pasaule) はラトビアを代表するバスケットメーカー。ペーテリス・トゥターンス (Pēteris Tutāns) お父さんとロリタ・トゥターネ (Lolita Tutāne) お母さんが切り盛りしています。ピヌム・パサウレとは"バスケット・ワールド"の意味。その名が示す通り、店舗と工房を兼ねた自宅にはどの部屋もバスケットがいっぱい！

121

　先代からその技を教わった一流の職人であるペーテリスお父さんは「バスケット作りは大変な仕事」といいます。それは手間暇かけた素材の準備から始まります。畑で柳を栽培し（写真1）、収穫できたら葉を落とし、品種や色、太さや長さごとに種類分けをして、薪の釜でじっくり茹でます（写真2）。茹で上がったらすぐに皮を剥いて（写真3）、乾燥させるとようやく材料のできあがり（写真4）。作業前にもう一度柳を水に浸し、時には縦に割いて薄くしてから編んでいきます。丹念な準備と長年の経験があってようやく美しいバスケットが完成するのです。

　「バスケットは修理をしながらずっと使えるものだからね。うちでは1930年に作られたバスケットも現役で使ってるよ」とペーテリスお父さん。ごつごつしたお父さんの手を見ていると、その労力と品の確かさがじわじわと伝わってきます。

マイスターのはなし

　この証書は"名匠"の証。15世紀に結成された組織を源流にもつラトビア工芸商工会議所（Latvijas amatniecības kamera）が発行しているもので、職人の仕事を生業とする人のうち、その技術や経験が認められた人だけが受け取れる"マイスターの証明書"です。

ランプの調子はどうだい？

ごはんですよー

1：仲睦まじいペーテリス夫妻は時間が空けば所有するサマーハウスでのんびり過ごします。2：打ち合わせに同行。このランプシェードはペーテリスお父さんの作品。3：トレイ作りに挑戦。む、難しい!! 4：ラトビア形のトレイ。5：作業中の断片。何になるのかな－？ 6：ベビーカーも作られています。7：料理上手なロリタお母さん。美味しくていつもお腹いっぱいに。

INFOMĀCIJA
Pinumu pasaule
ピヌム・パサウレ
Tērinu ielā 52, Riga
TEL:+371 67612221
OPEN:9:00-19:00
http://www.pinumupasaule.lv/
郊外にあるためオープンしているか訪問前に確認している方が無難。連絡しておけば英語対応可能。バスケット作りのワークショップも体験できる（要予約、有料）。

伝統留めのバスケット

　現在バスケット作りで主に使われている素材は柳。水に浸すと加工がたやすく、乾くと耐久性があるのでバスケットにぴったりの材料です。 また、水に濡らして加工しているという特質上、汚れた際は水洗いOK。洗った後は風通しのいい日陰で完全に乾燥させると再び使えます。このダイヤ形の留め方は古い文献にも出てくる伝統的な留め方の一つ。美しいパーツにうっとりしてしまいます。

123

壁に掛けられます!

いろいろな形のバスケット

この2つは柄違い。
どっちもいいなぁ。

ペーテリスお父さんの他に数名の職人さんがいるピヌム・パサウレのバスケットは形やサイズ、色のバラエティに富んでいます。職人さんそれぞれに得意な形があるので、多様なデザインを楽しめるという訳です。基本的に着色はしていません（ここには載っていませんが、灰色のみ釜茹で時に鉄を入れて着色します）。色の違いは柳の品種の違いや収穫時期の違いです。また、皮を剥くかどうか、割いてから使うかどうかでも、かなり印象が変わってきます。

ふたつきも便利

繊細に凝った編みの
バスケットはもはや芸術品。

きっちりとした蓋のついた入れ物。

サイドの編み模様が美しい。

飾っておきたくなるようなトレイ。

インテリアとして使える
バスケットも
色々あります。

ランプシェード。隙間から光がこぼれてロマンチック。

フードカバーつきの便利なトレイ。

果物を盛りたくなる浅めのボウル。

四角いので使い勝手よし。

ユニークな形のランドリーバスケット。

大きくて持ちやすいので重宝します。

細枝編み

もっと細い枝で編む職人さんも

127

白樺編み

ごくごく
少数ながら
白樺職人も
健在です

128

129

籠編みだってお手の物。
ロベルツお父さんのバスケット

　P.84で紹介したロベルツお父さんは、実は元々バスケット職人。今は木工品とバスケットの両方を作っています。細めの柳できちきちと編まれたバスケットは美しくて使い心地も満点です。木工品と同じく旧市街のクラフトマーケット（Egle Latvijas amatnieku tirziņš）で購入できます。

カトラリーを立てるもよし、ワインを入れて贈り物にするもよし！

飴色になるまで使いたい
アントラさんのバスケット

　アントラ・カレーヤ（Antra Kalēja）さんは、この道24年の大ベテラン。木の面白みを生かしたオリジナリティ溢れるバスケットを作り続けています。「木を見て形を考えるので毎回がチャレンジよ!」と生き生きと話すアントラさんの作品は民芸市などで購入できます。

木とバスケットの組み合わせは丈夫で格好いい!

ハーブに、ベリーに、キノコ狩り。
バスケットは1年中大忙し。

　ラトビアの料理が美味しいのは旬のものを食べるからなのでしょう。自然の恵みを直接いただくことが多いラトビアの暮らしにはバスケットが欠かせません。森でベリーを摘んで、キノコを採って、草原では野草を採って、途中で花も摘んで…。これらを持ち運ぶのに便利なのがバスケット。またラトビアでは多くの人が別荘のようなサマーハウスを所有していて、そこには広い畑もあるので、野菜や果物もすぐバスケットいっぱいになります。たくさん採れるとジャムやピクルス、ジュースにして保存食に。いただいたお裾分けはどれもこれも瑞々しい味でした。

　特にキノコ狩りにただならぬ情熱を見せるラトビア人、シーズンになるとリガを出発するバスは空っぽのバスケットを持って森に向かう人でいっぱいになります。森を通る道路には駐車車両もずらり。それぞれに秘密にしているお気に入りの森があり、そこで採れるキノコを熟知しているのです。数時間森を歩いた後はキノコが山盛りになったバスケットを手に家路に向かいます

ドライブ途中、森に入ってランチタイム。
デザートは摘みたてのブルーベリー。

133

1：散歩の途中に教えてもらった安眠効果のある薬草。2・4：キノコ狩りに連れて行ってくれた友人親子。こうやって知識が伝わっていくんだなぁ！3・5：森に自生するコケモモとブルーベリー。6：友人のサマーハウスにて。1人で持てないサイズの大きなカボチャがごろごろ。7：1年で最後の収穫物となるリンゴ。

STÂSTS Nr.4
文様をあしらって、
使いながらご加護を願う。

　ラトビアの工芸品を独特のものにしている理由の1つが図柄、そこに描かれている文様にあります。ラトビア人は古来より自然を神様としてとらえ、信仰の対象とし、井戸やかまどといった様々な物体に女性の神様の存在を見出してきました。それぞれの神様は文様化され、民族衣装をはじめとする織物や編み物、陶器などの図柄に用いられてきました。伝統的な工芸品だけでなく、今ではファッショナブルな最新アイテムにまで多用されるラトビアらしいデザインです。

最近人気がある文様をあしらったビーズのアクセサリー。

クッキー型まで文様に！

135

アウセクリスはよく使われる文様。

光が透けるとより美しいガラス製オーナメントとステンドグラス。

これらの文様があしらわれた帯や編み物は、特に出産・結婚・葬式という人生の大きな節目でお守りの役目を果たしてきました。民族意識の高まりと共に19世紀から20世紀にかけてデザインとしてより一層あしらわれるようになった文様は、どこか神秘的で心惹かれるのですが構成はとても複雑。それもそのはず、文字を持たなかった古代のラトビア人は、民謡ダイナを歌い継ぐほかに、この文様に意味を持たせて織りこむことで記録を残してきたのです。

　同じ神様でも様々な形で表現されます。例えば太陽（Saule）はシンプルな円で表すこともあれば、8つに分かれた花のような形で表すことも。また、水平なら静止を表し、角度をつけると運動を表すなど、角度によって意味が変わることもあります。更に、白色は清浄を表すなど色の概念も加わります。これらの要素がすべて組み合わされてデザインされるので、文字の代わりに成り得たのです。

　自然崇拝が色濃く残るラトビアでは、今でもこの文様は大切な存在です。

文様を解説した本は書店で購入できます。

元々あった自然崇拝と13世紀に入ってきたキリスト教とが共存しているように感じるラトビア。クアクネセ（Koknese）にある教会では十字架の下に女神ライマの文様が描かれています。

ラトビアの文様
Latvju rakstu zīmes

Dievs
ディエヴス
最も偉大で強い力を持つ神様を表す。三角形で記され、空を示している。男性の象徴でもあり、なにか問題を抱えているときに、力を与えてくれるといわれている。

Māra
マーラ
女性と子供を守護し、健康や出産をつかさどる女神を表す。物質社会や女性の象徴でディエヴスと対をなす。出産の時に子どもたちはマーラの門を通ってこの世界にやってくるといわれている。

Laima
ライマ
ディエヴス、マーラと並ぶ偉大な女神ライマの文様。運命をつかさどり、人の寿命や人生の良し悪しを生まれた時に決めるといわれている。この文様は人々に幸福を連れてくると信じられている。

Ūsiņš
ウースインシュ
馬と蜜蜂、そして光の神様の文様。太陽を運ぶ馬車で大空を駆け、文様を身につける旅人を加護してくれるといわれている。立夏の祭祀もつかさどる。

Jumis
ユミス
豊穣と繁栄の神様を表す。枝分かれして二股に育った穀物の様子を表現した文様は、古代から伝わってきたもので、家の繁栄を願って屋根の飾りに用いられてきた。

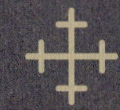

Māras krusts
マーラス・クルスツ
クロスは幸せを運ぶシンボル。十字が二重になったこの文様は、力を強めるだけでなく、日用品に使うことでマーラのご加護を得ることができ、家が守られるといわれている。

Ugunskrusts
ウグンスクルスツ
雷を表す十字の文様は、幸福、天からの恵み、繁栄と成功の象徴。古代よりラトビア人はこの文様を施した装飾品を身につけてきた。

Saule
サウレ
太陽の文様。女性の神様で、永遠に続く命の象徴とされ、その光はすべての生命のエネルギーの源となる。円形や正方形、菱形も太陽のシンボルとして使われる。

Auseklis
アウセクリス
星の文様の中でも、特に有名なのがアウセクリス。夜の闇を退け、新しい朝の訪れを伝える明けの明星を表している。その光は悪しきものから身を守る力があるといわれている。

Krusta zvaigzne
クルスタ・ズヴァイグズネ
井桁や井戸と呼ばれる文様。神秘的で尽きることのない生命の源を表し、現世と黄泉、人と神を結びつける力があるといわれている。

Zalktis
ザルクティス
蛇を表す文様。蛇は聖なる生き物として尊ばれ、知恵の象徴とされた。中でも白蛇は最も強い力を持っていたといわれている。

Mēness
メーネス
月の神様の文様。戦士を手助けし、親を失った子どもたちを助けるといわれている。男性の装飾品や衣類によく用いられてきた。

3
LATVIJA

一期一会の雑貨

　手仕事の国ラトビアではビンテージアイテムも色々楽しむことができます。中でもかつてラトビアに工場があった磁器やガラス製品は、今見てもとっても素敵！きゅんと来る一期一会の出合いに胸が高鳴ります。

139

ヴィンテージ雑貨に出合える場所

足で探せば、お宝ざくざく。

　ラトビアの雑貨といえば真っ先に浮かぶのがハンドクラフトですが、他に見逃せないのがビンテージアイテムです。小国がゆえに、今は作り手がいなくなってしまった古いハンドメイドの品、激動の時代の波に飲み込まれ閉鎖してしまった工場の品、またその歴史的背景によりドイツや旧ソビエト連邦諸国から流れついた古い品など多岐に及ぶアイテムを見かけます。どういう経緯でこの品を手放すことになったのだろう…と想像すると、より一層大切に思える品々です。
　こうしたアイテムはサマーシーズンに多く開催される蚤の市や、街中にある骨董品屋さんやセカンドハンドのお店で見つけることができます。

市場の奥にもビンテージ品を扱うお店があります。

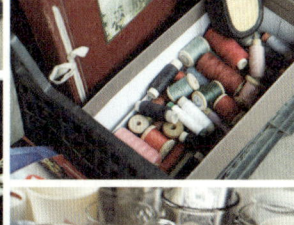

サマーシーズンになると毎月1回中央市場近くのスピーチェリ（Spiķeri）地区でフリーマーケットが開催されます。

新市街には骨董品屋さんやセカンドハンドのお店、チャリティーショップのウァトラー・エルパ(Otrā elpa)が点在しています。

ヴィンテージ雑貨
KOLEKCIJA

蚤の市や骨董品屋さんをめぐって集めた秘蔵っ子たち。どれもこれもラトビアならではの一品です。

どちらもバッジ。やっぱりキノコは人気のモチーフ。

琥珀がついた革細工の小箱。

今も人気、クルミ形のお菓子の焼き型。

リガには鍵にまつわる伝説が残っています。

ルツァヴァ(Rucava)の民族衣装を着たお人形。

絵つけガラスはよく見かけるビンテージアイテム。

クルゼメ地方の陶器のような・・・。

今は作られていない形のスーベニール人形。

時々見かける赤土の陶製人形。女の子もいます。

ラトビア1度目の独立期の1ラッツコイン！

木彫りのブローチは継ぎ目のない見事な手仕事。

ミニクリーマー、ラトガレ地方かな？

彫りの入った古いシャトル。

麗しき古きプロダクツ。
1：リガ磁器工場のこと

　蚤の市ですぐ目に飛び込んで来たのが白磁の食器。なめらかで真っ白な磁器に描かれているノスタルジックな絵柄にときめいてしまいました。縁には嫌みのない金色が使われ、落ち着いた色で花や文様を描いたラトビアらしいデザインのこの磁器は、存在感が抜群なのにとってもキュート。ですが、残念ながら今はもう作られていません。

　実は、19世紀から20世紀にかけて産業化が進んだリガには、最近まで磁器工場がありました。1841年にはロシア人起業家がクズニェツゥオヴァ・ファブリカ（Kuzņecova fabrika）の、1886年にはドイツ人起業家がイェセナ・ファブリカ（Jesena fabrika）の稼働を始めました。いずれも日用品と装飾品を大量に生産し、西欧とロシアの影響が混ざった作風の高品質の磁器はそこで働く多くの芸術家と共に海外でも高い評価を得ていました。第一次世界大戦による操業停止、旧ソ連下での国有化という苦境を経て、ライバル関係にあった2社は1963年に合併し、名称をリガ磁器工場／リーガス・ポルツェラーナ・ループニーツァ（Rīgas porcelāna rūpnīca）としました。

　1997年に工場はその幕を下ろしましたが、国の浮き沈みと共に作られてきた食器は今でもラトビアで広く使われています。

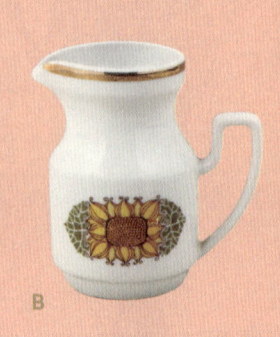

裏側のこのマークが目印。RPRと併記されています。

A：落ち着いたトーンの花柄のプレート。B：四角いヒマワリ模様のクリーマー。C：このバラの描かれ方はとってもレトロ。D：アールヌーボー調のデザイン。E：ゴージャスなのに落ち着いた風合いのシュガーポットとクリーマー。F：ハンドペイントのような模様が面白い。G：文様アウセクリスがあしらわれています。H：色、柄ともにとてもノスタルジック。I：焦げ茶と金色は相性抜群！J：どことなく和モダンな雰囲気。K：文様サウレがあしらわれたシュガーポットとクリーマー。

147

148

L：金色の使い方が上品なカップ＆ソーサー＆プレートのセット。M：凝ったサウレ模様の四角いプレート。N：旧市街が可愛く描かれた花瓶。O：凹凸のある小さなビールジョッキ。サウレ柄。P：こちらはニワトリ形！ 土台にはサウレス・クアクス（太陽の木）が。Q：ぐるりと1周模様の入った花瓶。R：こちらの花瓶は正面にどーんと模様が。S：控えめながらも存在感がある連続模様。T：民族衣装の女の子柄の可愛すぎるアッシュトレー。

集合!

皿の絵柄に合わせておくと…

U

V

149

W

X

Y

U：愛らしい人形たちをプレートに描かれた印に置くと…、なんと調味料セットに！ V：小さな立像も多く作られていました。形も顔もチャーミング。W：ラブリーな動物もたくさん見かけます。X：民族衣装の女性のソルト＆ペッパー。ブローチがポイント。Y：本当は5人編成の楽団ですが、2人だけ発見。

2：リーヴァーニガラス工場のこと

　ラトビアには最近まで世界中に製品を送り出していたガラス工場もありました。ラトガレ地方リーヴァーニ(Līvāni)にあったリーヴァーニュ・スティクラ・ファブリカ(Līvānu stikla fabrika)です。リガ磁器と並んで目に留まったのが、このガラス製品。少しぽってりとした質感と淡く着色されたガラスから透ける光の具合に心惹かれました。これもまた今では作られていないアイテムです。

　1887年、良質なガラスの原材料が採れたこと、鉄道網があったことに目をつけた商人がリーヴァーニでガラスの製造を始めました。ボトルから製造を始めたガラス製品はすぐにロシアや東側の国への輸出が始まり、ラトビア最大のガラス工場へと成長していきました。第一次世界大戦による操業停止、第二次世界大戦による工場の焼失、度重なる倒産と経営者の交代という波乱がありながらも職人たちはガラスを作り続け、1970年代には一気に機械化が進んだことで世界各地へ製品を輸出するほどの大企業となりました。特にクリスタル・ガラスの品質はボヘミアングラスに匹敵したといいます。

　1世紀以上に渡りリーヴァーニの町の経済を支えたガラス工場でしたが、ラトビア独立後の混乱を乗り切ることができず2008年にその幕を閉じました。

A:ヒマワリ柄のような浅めのボウル。B:ひと際薄い華奢なガラスの一輪挿し。C:凝った柄のボウル。淡い水色が美しい。D:温かみを感じる色合いのキャニスター。

151

E:すべてはボトル製品から始まりました。F:リキュールグラスでさえ愛らしい。G:黄色が映えるシンプルなショットグラス。H:こちらも凝ったデザインのリキュールグラス。I:小ぶりなビールジョッキ。J:今は逆に作れないであろう厚ぼったい質感がたまりません。K:取っ手の位置が低くてお洒落。L:渋みのあるグレー色の小鉢。M:輪郭の濃淡が素敵。ガラスならでは。N:製造の年代によって質感が異なります。

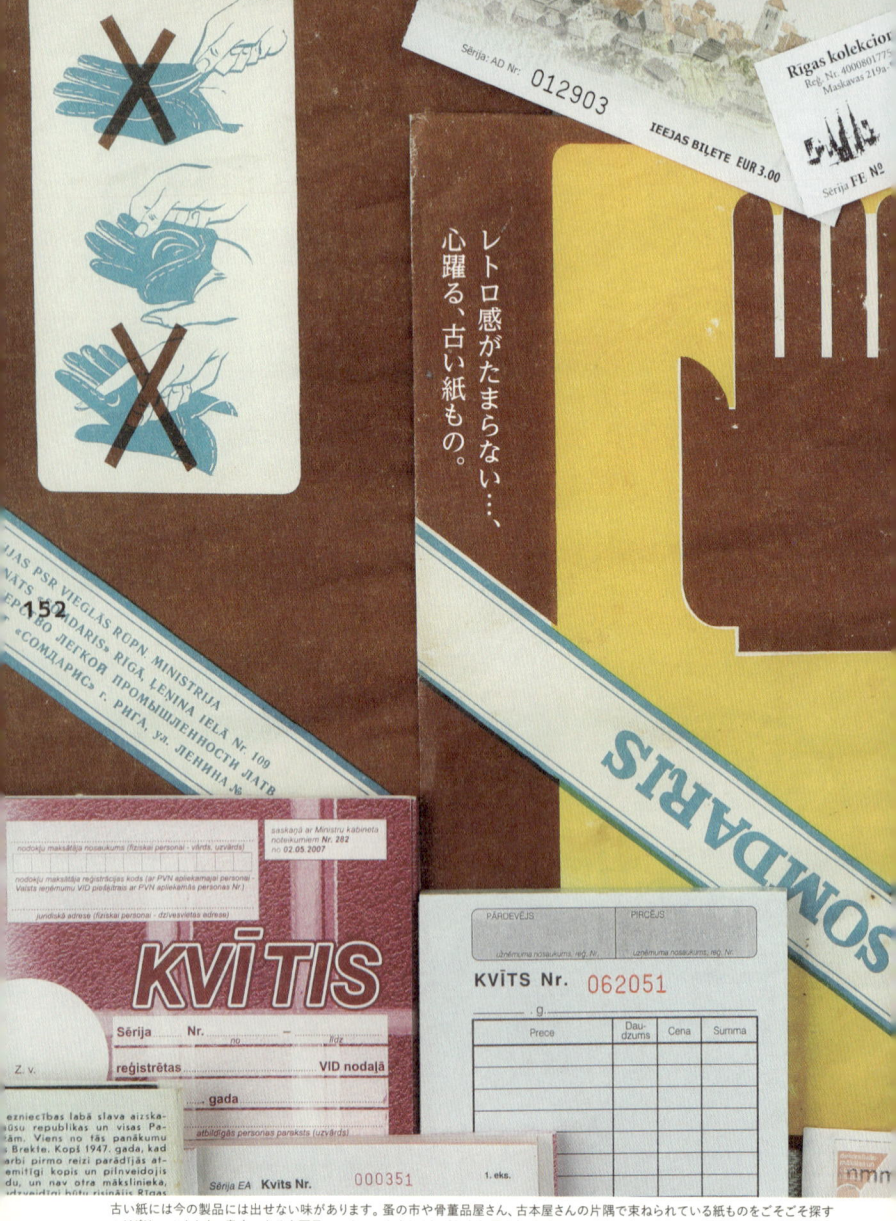

レトロ感がたまらない…、
心躍る、古い紙もの。

古い紙には今の製品には出せない味があります。蚤の市や骨董品屋さん、古本屋さんの片隅で束ねられている紙ものをごそごそ探すのは楽しいひととき。書店にある文房具コーナーでも少しくたびれた伝票や帳面が見つかります。

2,30

Izdots 17.06.2015 16:29:54
Biletes Nr.
Kasieris ident. Nr.   0666000666130
Kase   JLG05
FAB Nr.0666 VID kods 54-0041373   Kase3

EUR 3,00

1918
1990

PRIECĪGUS ZIEMASSVĒTKUS!

LATVIJA

IEKĀPŠANAS KARTE
Boarding Bastejkalns
Iekāpšana Bastejkalnā
Cena: 18.00 EUR

Nr 000576

LATVIJA

PRIECĪGUS ZIEMASSVĒTKUS!

Москва. Гостиница «Москва»

Куда _____
_____
Кому _____
_____
Индекс предприятия связи и адрес отправителя

Laimīgu Jauno gadu!

1. zīm.
2. zīm.
4. zīm.
8. zīm.

ratīvās mākslas
n dizaina muzejs

古書

絵本や図鑑、手芸本。
掘り出し物に顔がほころぶ。

　ついついマメに足を向けてしまうのが本屋さんと古本屋さん。ラトビア人は本好きなのでしょう、いずれもとても多いのです。本屋さんは街のいたる所に、古本屋さんは新市街の地下や奥まったところにあります。古本屋さんには戦前の古書、戦後の新聞、ヨーロッパやロシアの絵本までふんだんに並んでいます。いずれも個人経営が多いので休業日には注意が必要。一見すると山積みなのにきっちりと整理整頓された古書たち、店主はそのすべてを把握しているので、「こんな本が欲しい」と相談すると見つけ出してくれます。

　小国のラトビアでは必然的に書籍の出版部数には限りがあり、なくなってしまった出版社もあります。本屋さんと古本屋さんの両方を足繁くめぐれば貴重な文献が見つかることもあります。

> 本屋さんでは探している書籍のイメージ写真を見せればラトビア語が分からなくても大丈夫!

155

旧市街から1番訪れやすいのがこの古本屋さん。通い詰めていると、いつしか好みを把握してくれるようになりました。

INFOMĀCIJA
Jumava grāmatu antikvariāts
ユマヴァ・グラーマトゥ・アンティクヴァリアーツ
Dzirnavu iela 73, Riga
TEL:+371 67282596
OPEN:木金10:00-18:00、土12:00-17:00
http://www.jumava.lv/
1階は出版社ユマヴァ(JUMAVA)の直営書店。
地下に古本屋さんがある。

この一冊…

詩人が多いラトビア。この詩集の著者エドヴァルツ・ヴィルザ(Edvarts Virza)もラトビアを代表する詩人の1人。旧ソ連占領時に亡命を余儀なくされたあるラトビア人女性は、唯一持ち出したのがヴィルザの詩集だったそうです。彼の詩にはラトビアの生活、伝統、自然のすべてが詰まっていて何度も読み返しては2度と帰れないであろう故郷に思いを馳せていたそうです。

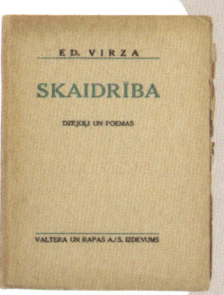

TREŠĀ DZIESMA

Japaklausot, jābūt labam,
Pāri nedarīt nevienam,
Ij ne kukainim, ne mušai, —
Zēns jau mūsu pienā glāba.

Ilgi meklē zēns, kur dieviņš?
Ij vēl jaunus gadus cauri, —
Tik jau tagad lūdzēj jālūdz
Karsti, karsti: plokar plūdi!

Skatās saule smaidīdama,
Savijpsno ar Daugaviņu:
Stāv tur zēniņš as'rām acīs,
Dūrītēm pret sienu dauza.

Nokusis no lielas lūgsmes,
Puisīts iekrīt miega rokās, —
»Meklē, meklē, — te es esmu!«
Saule skatās zēna sejā:

»Puteklītis no saules biris,
»Saules bērniņš — tas tu esi,
»Saule visam dzīvam māte,
»Sevī pašā sauli meklē!«

»Kaut no ceļa nokiīdīši,
»Allaž atkal nāc pie saules!
»Vienīgi palīgs pats un saule
»Plētīsies fev pasaul's helpasl«

Saul' un Daugav' saskatījās,
Rītu nokrīt ūdenpļudi,
Zirgus jūdza cēnā brauca,
Puisīts līdzi, plaukstās sizdams.

Dienas vidū visi guļ:
Tīkam-baigi, draudam-maigi!
Vienam pašam tumšā rijā:
Mēmi trokšņi, melni rēgi!

『CIMUDU RAKSTI』/Jānis Sudmalis 著／1961年出版｣：伝統的なミトンや手袋のパターン図集。

158

『LATVIEŠU TAUTAS TĒRPI』／Liesma社監修／1967年出版』…イラストによる民族衣装図鑑。巻末に英文解説あり。

『MAZĀ ANDUĻA PIRMĀS BĒRNĪBAS ATMIŅAS』／Vilis Plūdonis著／1957年出版』…ラトビアの原風景が挿絵の布張り絵本。

『ROKDARBI』／Erna Rubene著／1958年出版』…伝統的な刺繍などの解説本。洋服でのアレンジや室内装飾の方法も掲載。

Kārlis Grigulis
ZĪLĪTES DZIESMA

CIMDU RAKSTI
УЗОРЫ ДЛЯ ВАРЕЖЕК

EDUARDS JANSONS
RAGRILLIS

ZELTENES ROKDARBI

KRĀSAINIE DARBI

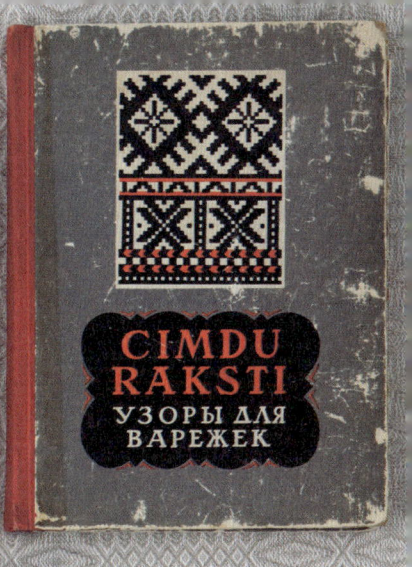

飾っても柁になる古い絵本や手芸本。時にはページをめくってラトビアの伝統や世界観を楽しみます。

4
LATVIJA

ラトビアの楽しみ方

ラトビアの首都リガは1201年建都の古い街。コンパクトながらあらゆる魅力がギュッと詰まっています。ラトビアの田舎もお勧めです。豊かな自然や伝統と個性溢れる小さな町が待っています。

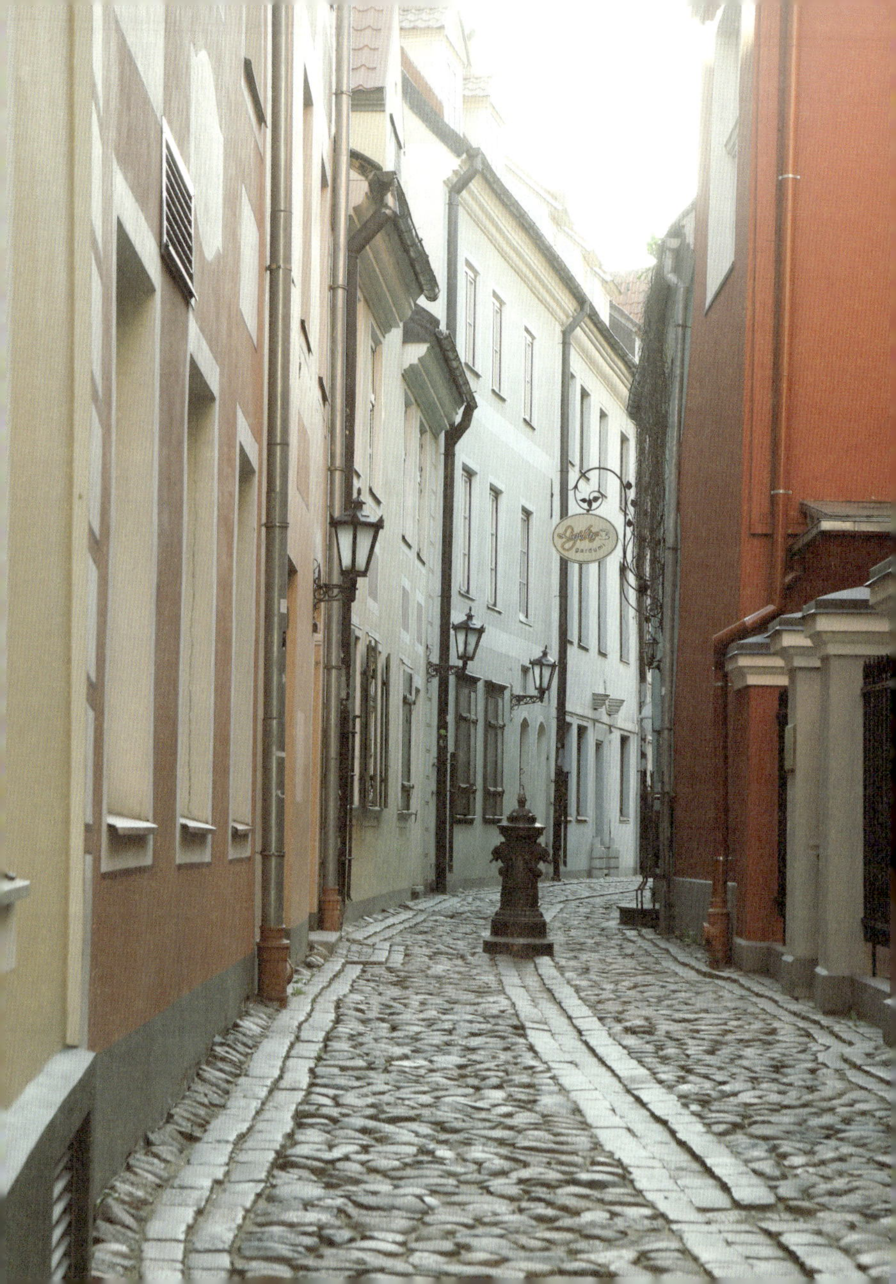
gardumi

リガ旧市街めぐり

　入り組んだ細い路地が楽しい旧市街。ころころと丸くなった石が敷き詰められた石畳には轍の跡が。立ち並ぶ建物群はもちろんのこと、昔の面影を残す通りの名前にも中世のロマンを感じます。散策に疲れたらオープンカフェでひと休み。耳を澄ませばそこかしこから音楽が聞こえてきます。

旧市街ではロマネスク、ゴシック、バロックなどなど、各時代の建物探訪を楽しめます。

路地を彷徨うと出会いがいっぱい。

KARTE
RĪGA

Map① 三人兄弟(Trīs brāļi)
リガに残る最古の住宅。右端は15世紀、他2棟は17世紀の建造。中は建築博物館。

雨降りのリガはひと際魅力的。自由気ままにそぞろ歩きを。

リガでは1年を通して様々なイベントが開催されます。これは光の祭典"Staro Riga"の様子。

Map② リガ大聖堂(Rīgas doms)
1211年に建築が始まった教会。世界有数の規模を誇るパイプオルガンでも有名。奥の回廊も必見。

Map③ 猫の家(Kaķu nams)
その昔大ギルド会館への批判を込めて作られた屋根の上の猫の像。

Map⑤ ブラックヘッド会館(Melngalvju nams)
14世紀建造の旧建物は第二次世界大戦で焼失。1999年に復元された現在の建物は当時の華やかさを伝えています。

Map④ スウェーデン門(Zviedru vārti)
かつての城壁のゲートのうち唯一現存するのがここ。17世紀末建造。

音楽溢れるリガでは沢山の無料・有料のコンサートが。教会もよく会場になります。この小ギルドホール(Mazā ģilde)は特にお勧め。

リガ旧市街地図

ランドマーク・主要スポット

- リガ城 Rīgas pils
- 国立歴史博物館 Latvijas Nacionālais vēstures muzejs (P.198)
- 聖ヤコブ教会 Svētā Jēkaba katedrāle
- 火薬塔 Pulvertornis
- トリス・パヴァール・レストラーンズ 3 pavāru restorāns
- 屋上レストランあり グーテンベルグス Gutenbergs (R)
- ホビーウール Hobbywool (P.113)
- よく市が立つ ドゥアマ広場 Doma laukums
- 大ギルドホール Lielā ģilde
- リーブ広場 Līvu laukums
- 小ギルドホール Mazā ģilde
- リド LIDO (P.182)
- ティーネス Tines (P.112)
- 国立オペラ座 Latvijas Nacionālā opera
- XLペルメニ XL Pelmeņi (セルフ式水餃子の店)
- ブラック・マジック Black Magic (バルザムが楽しめます)
- コンヴェンタ・セータ Konventa sēta
- リガの歴史と航海の博物館 Rīgas vēstures un kuģniecības muzejs
- リガ磁器博物館 Rīgas porcelāna muzejs (P.198)
- 日用品に困ったら ガレリア・ツェントゥルス Galerija Centrs (S)
- リトゥムス Rītums (P.192)
- 工芸とデザインの博物館 Dekoratīvās mākslas un dizaina muzejs (P.198)
- アーケードになってます
- 聖ヨハネ教会 Svētā Jāņa baznīca
- 市庁舎広場 Rātslaukums
- 聖ペテロ教会 Svētā Pētera baznīca
- メドゥス・イスタバ Medus Istaba (おすすめの蜂蜜屋さん)
- エグレ・ラトヴィヤス・アマトニエク・ティルズィンシュ Egle Latvijas Amatnieku Tirziņš
- 運河クルーズ乗り場
- 衛兵交代あり 自由記念碑 Brīvības piemineklis
- 城壁が残ってる
- パフォーマンスを含めて楽しい！
- ここの路地が素敵！
- 裏の通りも素敵！
- アクメンス橋 Akmens tilts

地名・通り
- Krišjāņa Valdemāra iela
- Jēkaba iela
- Torņa iela
- Raiņa bulvāris
- Pilsētas Kanāls
- Mazā Pils iela
- Aldaru iela
- Smilšu iela
- Meistaru iela
- Vaļņu iela
- Zirgu iela
- Kalķu iela
- Pils iela
- Amatu iela
- Skārņu iela
- Rihnarda Vāgnera iela
- Teātra iela
- Jauniela
- Tirgoņu iela
- Kaļķu iela
- Kungu iela
- Audēju iela
- Grēcinieku iela
- Peldu iela
- Skuņu iela
- 13. janvāra iela
- 11. novembra krastmala
- ダウガヴァ川 Daugava

凡例: (R) レストラン　(S) 買い物できる店　● ランドマーク

0　100　200m

※国立歴史博物館は2015年取材時点、補修工事中。Brīvības bulvāris 32にて縮小展示しています。

買うならココ、食べるならココ。

旧市街には土産物屋さんやハンドクラフトのお店がいくつもあるのでしっかりお買い物を楽しめます。また、入りやすいレストランやカフェも溢れているのでお腹も心もホクホクになります。

買う

SENĀ KLĒTS Map❻

セナー・クレーツ
ラトビアが独立を回復した1991年に創業したセナー・クレーツは民族衣装を正しく後世に伝えるべく調査と研究を続けています。展示を兼ねた品揃えは圧巻です。
Rātslaukums 1, Riga
TEL:+371 67242398
OPEN:平日10:00-19:00、土日10:00-17:00
http://www.senaklets.lv/

TIRDZNIECĪBAS IELA Map❼

ティルズニアチーバス・イアラ
P.80で紹介したラトビア民族工芸組合が運営する小さなショッピングモールです。ミトン、織物、木製品、陶器など、ラトビアの手仕事を購入できます。
Jaunavu iela, Riga
OPEN:10:00-20:00

UPE Map❽

ウペ
ラトビアのフォークやポップス、ロック、合唱などのCDが並ぶお店。お願いすれば試聴も可能。クアクレなどの伝統楽器も購入でき、可愛いお土産も取り扱っています。
Riharda Vāgnera iela 5, Riga
TEL:+371 67226119
OPEN:平日11:00-19:00、土11:00-16:00、日曜休
http://www.upett.lv/

夏ならではのアイスクリームスタンド

ラトビア人は老若男女問わずアイスクリームが大好き!
暖かくなると路上や公園に一斉にスタンドが現れます。
各地の町で作られているので銘柄も味も色々。散策に疲れたらアイスを片手に公園でのんびりするのがお勧めです。

食べる

pienene Map⑨

ピエネネ
ハーブティが豊富な居心地のいいカフェ。ラトビアが誇るハーバルコスメやラトビア産のおしゃれなアイテムが並ぶショップも併設しています。
Kungu iela 7/9, Riga
TEL:+371 67210400
OPEN:10:00-20:00
http://www.studijapienene.lv/

Folkklubs ALA Pagrabs Map⑩

フォルククルブス・アラ・パグラブス
ラトビアのフォークを楽しめるバー。ラトビア料理も満喫でき、フォーク音楽コンサートやフォークダンス・ナイトといったイベントが毎週開催されています。
Peldu iela 19, Riga
TEL:+371 27796914
OPEN:月火12:00-01:00、水12:00-03:00、木12:00-04:00、金12:00-06:00、土14:00-05:00、日14:00-01:00
http://www.folkklubs.lv/

Neiburgs Map⑪

ネイブルグス
大聖堂近くの同名のホテルにあるレストラン。アールヌーボー建築の建物で美味しいと定評のある料理を楽しめます。平日はお得なランチメニューも。
Jauniela 25/27 Riga
TEL:+371 67115544
OPEN:11:00-23:00
http://www.neiburgs.com

Restorāns 3 Map⑫

レストラーンス・トリス
3 Pavāru Restorāns でも人気のシェフが新たに出店。「ラトビア料理とはなにか?」を考え抜き、自生している食材や野生の魚肉類にできる限りこだわった仕入れをしています。食材が持つ天然の旨味を生かした調理を行い、見目麗しくサーブするお料理は目でも舌でも楽しめます。
Kalēju iela 3, Riga
TEL:+371 26660060
OPEN:平日12:00-23:00、土日11:00-23:00
http://www.restaurant3.lv/

その日に入った食材で調理するのでメニューは日替わりです。

中央市場を歩く

　リガに到着すると必ず目に入るのが巨大なドームが並ぶ中央市場。1930年の開業時にヨーロッパ最大の広さを誇ったこの市場は、今も毎日8万〜10万人もの買い物客が押し寄せる活気溢れる場所です。5つのドームはそれぞれ乳製品、肉、魚など食材別のパビリオンになっていて、屋外には野菜、果物、花、日用品を売るエリアがどこまでも広がり、大根から靴にいたるまでなんでも買えてしまいます。安い食堂も点在しています。

　ラトビアの食事は本当に美味しいのですが、中央市場に行くと理由は一目瞭然。常に旬の食材がずらりと並んでいるのです。また夏至祭や冬至祭などの年中行事に必要なアイテムも並んでいるので、どの季節に訪れても違った顔を見ることのできるワクワクする場所です。

中央市場のドームの話

　5棟立ち並ぶドームはそれぞれが約16,000㎡という巨大なもの。第一次世界大戦中、クルゼメ地方でドイツ軍が使っていた飛行船ツェッペリンの格納庫を移築した建物です。

INFOMĀCIJA
中央市場／Centrāltirgus
Nēģu iela 7, Riga
TEL:+371 67229985
OPEN:07:00-18:00頃　無休
http://www.rct.lv/
アクセス:旧市街の南側、地下道を抜けて鉄道の高架をくぐりバスターミナルを過ぎればすぐ。

夏冬でも場外にマーケットが!!

買えないものはきっと無い、
ラトビアっ子の台所。

ラトビアは乳製品大国。

ケフィア／ケフィールス (Kefirs) と凝乳／ビエズピエンス (Biezpiens) は特に欠かせません。

チーズ／シエルス (Siers) は種類が豊富。

保存食文化のラトビアでは何でもピクルスに。

ザワークラウトから出るキャベツのジュースも隠れた人気者。

鯉料理もあります。

ウナギも食べます。

魚は燻製が一般的。立てて（！）売られています。

お菓子は量り売りで。

常に旬の食材が。春はルバーブです。

ラトビア人はイチゴが大好き。旬の時期には一面がイチゴ売り場に。

いろんなジャムやピクルスを作るので一目でわかるイラスト入りの替え蓋が売られています。

秋にはいろんな形のカボチャが。

クルミはクルミ割り機と一緒に。

169

春先はコレ！白樺のジュース（Bērzu sula）。

黒パンを発酵させた飲み物クヴァス（Kvass）を販売中。

庭や畑仕事に精を出すラトビア人。豊富な種類の種が並んでいます。

イースター前には必須アイテム猫柳が登場。

クリスマス前にはモミの木売り場が。

驚きのキッチングッズ

　中央市場で思わず見入ってしまうのが何ともユニークなキッチングッズたち。曲芸のように野菜が様変わりする器具や愛らしいフォルムのアイテムについ手が伸びてしまいます。

170

スライサー
くるくる回すと螺旋状に野菜をカットできます。

おろし金
ラトビア料理ジャガイモのパンケーキはこれでバッチリ。

くるみ割り
ネジを緩めてクルミを入れて締めればOK。

カッター
波状に野菜をカットできます。波の幅は2種類。

実演販売に目が釘づけ!

使い方にドキドキワクワク。

シャープナー
鉛筆削りのように野菜をカットできます。

171

ナイフ
細かい細工を入れるにはこのV字ナイフで。

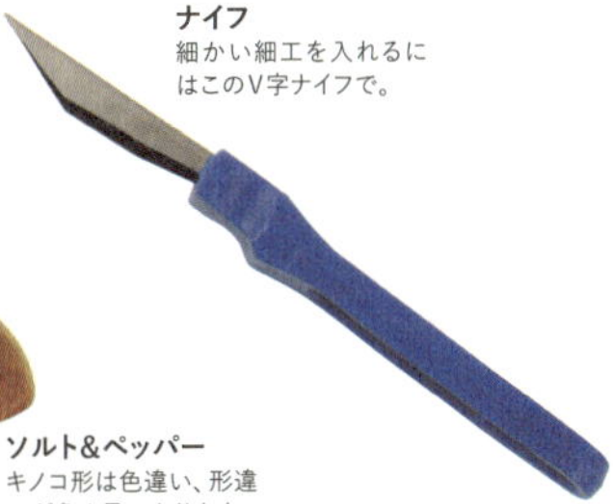

ソルト&ペッパー
キノコ形は色違い、形違いが色々見つかります。

一年中、大賑わいの花市場

ラトビア人は無類の花好き。

1. 年中無休、24時間営業の花屋通り。2. 年中行事や国家行事にはそれにあわせたアレンジが並びます。3. 窓際もお庭も花いっぱいのラトビア人家庭。

4. 暖かい季節になるとそこら中にワゴン販売の花屋さんが現れます。5. 贈るお花は1本でもOK。きちんとリボンを結んでくれます。6. 花束もアレンジメントもその安さに驚きです。

　ラトビアはいつでもお花が溢れています。花屋さんは街のあちらこちらにあり、観光地も一般家庭の部屋や庭もきれいにお花が植えられ、飾られています。日本ではちょっと特別な気がする花束のプレゼントもラトビアでは普通のこと。友達の家を訪問する時、出張から帰ってくる家族を空港で迎える時、普段と変わらないデートの時、先生へお礼をする時、気取ることなく花束を手にしています。慶事には奇数本を、弔事には偶数本を贈ります。

　特に盛大にお花が贈られるのが誕生日と名前の日。ラトビアには「名前の日を祝う」という習慣があります。市販のカレンダーには毎日数名の名前が書かれていて、名前が載っている日がその人の「名前の日」となります。カレンダーにない珍しい名前の人は5月22日に「名前が載ってない人」と記載されていてこの日が名前の日となります。

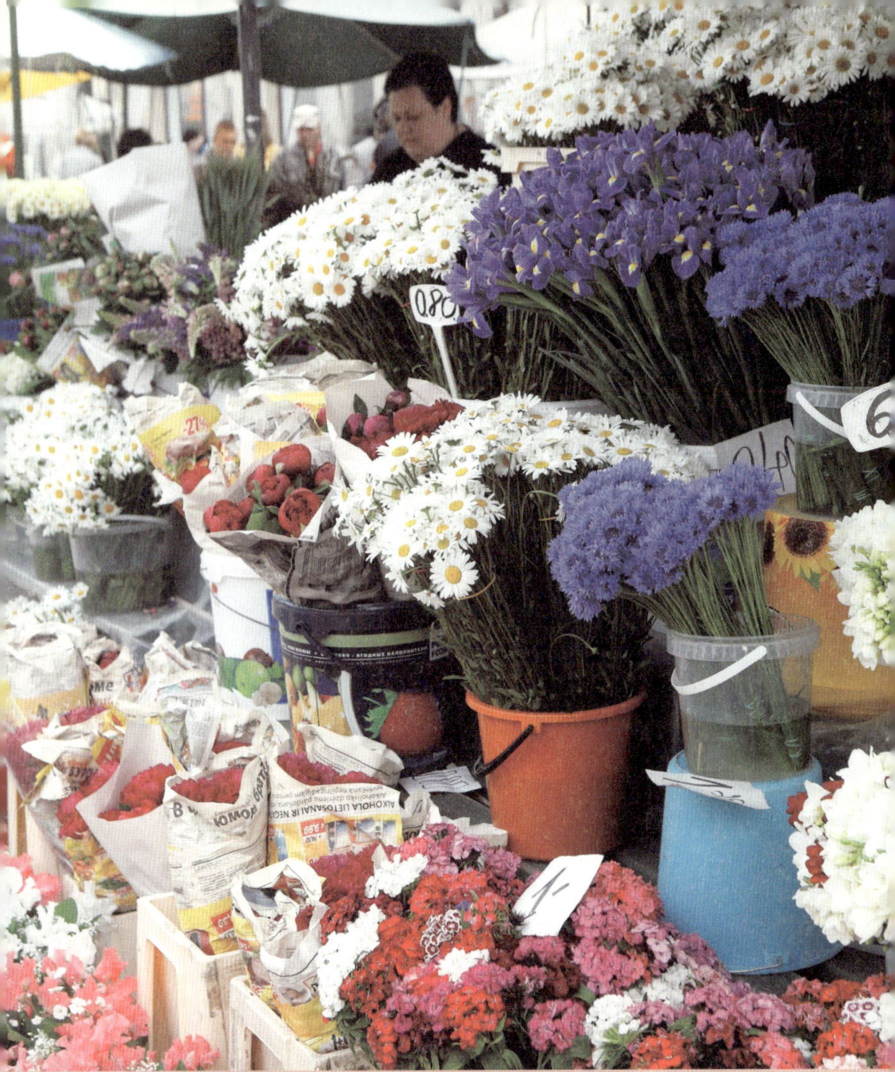

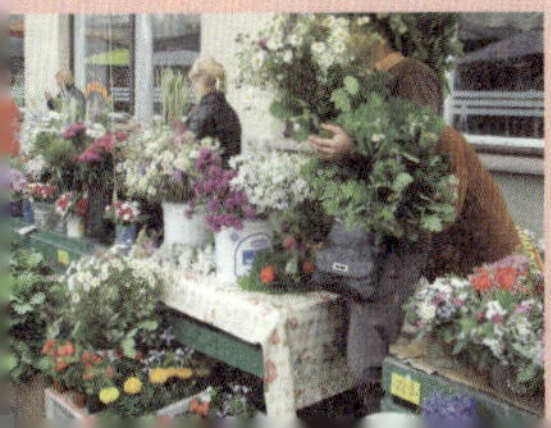

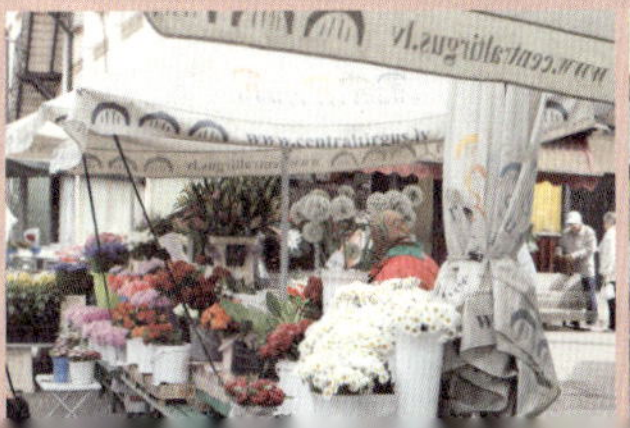
www.centraltirgus.lv

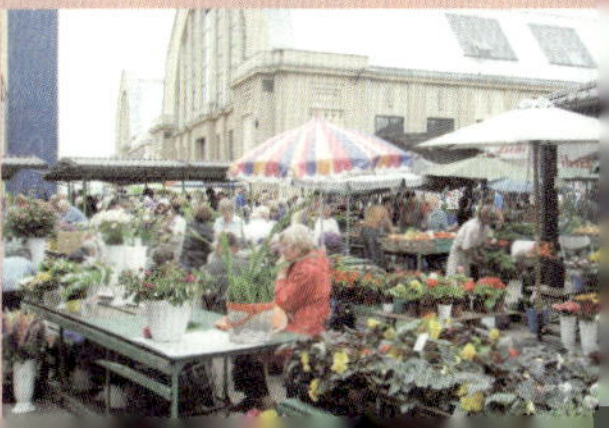

旧市街を飛び出して

リガはどれだけ歩いても飽きない街。旧市街に並ぶ中世の建物群だけでなくアールヌーボー建築群、古い木造家屋群が混在する街並みこそがリガの真骨頂。お洒落なレストランでのブランチをはさんで再び歩き出せば、また新しいお店を発見。楽しいイベントも常にどこかで開催されています。

Map① アールヌーボー建築群
(Jūgendstils)
世界最大規模のアールヌーボー建築群が残るリガ。特にこの辺りはミハイル・エイゼンシュテインの作品がひしめいています。

コヤ
KOYA
ヨットハーバー周辺のレストラン

Map⑤ ラディソン・ブル・ホテル
(Radisson Blu Hotel)
26階のSkyline Barはリガで1番の高さを誇るバー。遠景からの旧市街のパノラマを楽しめます。

チープサラ
Kīpsala

Zunds

KARTE

RĪGA

彷徨う楽しみが尽きないリガの街。

雨降りには水たまりを覗きこむ。友人が教えてくれた街歩きの楽しみ方。

174

Balasta dambis

ヴァンシュ橋
Vanšu Tilts

Daugava
ダウガヴァ
民謡にも歌われ多くの伝説が残る特別な大河・ダウガヴァ川

旧市街のパノラマが楽しめる

Slokas iela

Map④ 木造建築群
(Koka arhitektūras)
リガには20世紀初頭に建てられた歴史的価値の高い見事な造りの木造建築群が多数残っています。

Krišjāņa Valdemāra iela

Slokas iela

ファゼンダ・バザールス
Fazenda bazārs (P.177)

カルンチエマ地区敷地内のおいしいレストラン
マーヤ
Māja

Kalnciema iela

Nometņu iela

石橋(Akmens tilts)を渡った先の桟橋は旧市街のパノラマの絶景ポイントです。

Slokas iela

国立図書館
Latvijas Nacionālā bibliotēka

R レストラン S 買い物できる店 ● ランドマーク

Map❸ アルベルト・ホテル
Viesnīca Albert
1階にあるStar Lounge Bar
がお勧め。屋外のテラス席か
らは夕日を堪能できます。

Map❷ 旧聖ゲルトルーデ教会
(Vecā Svētās Ģertrūdes baznīca)
ブリーヴィーバス通りを歩いていると北
側に突然姿を現します。萌黄色の内装
が安らぐルター派の教会。

Miera ielaは
流行の発信地。
ライマ博物館もココ

ヴィンセンツ
Vincents
国賓も訪れる
最高クラスの
レストラン

❻ アールヌーボー博物館
Rīgas jūgendstila muzejs

エコカテリング
Ecocatering
ブランチも人気

週末は
パンケーキ
ビュッフェ

国立美術館
Latvijas nacionālais mākslas muzejs

ラトビア芸術大学
Latvijas Mākslas akadēmija
芸大ではクリスマスにマーケットあり

❿ ミイト
Miit

エスプラナーデ
Esplanāde

屋上レストランあり
ガレリア・リガ
Galerija Rīga

ユマヴァ・グラーマトゥ・アンティクヴァリアーツ
Jumava Grāmatu Antikvariāts (P.155)

目の前で
焼き上がる
ケーキ
クーケァタヴァ
Kūkotava

テラ
TERRA
ラトビア風丼の店

花屋街
Tērbatas iela

ナイスプレイス・マルサルツ
NicePlace Mansards (P.49)

中央郵便局
Pasta centrs

リド
LIDO
リド
LIDO (P.182)
(P.182)

ビブリオテーカ・ナンバーワン・レストラーンス
Bibliotēka No1 Restorāns
高級レストラン

ヴェールマネス庭園
Vērmanes Dārzs

イノセント・カフェ
Innocent Cafe
おいしいコーヒー
ならココ

人形劇場
Latvijas leļļu teātris

気軽にピルツに
入るならBaltā Pirts
(Tallinas iela 71)

リガ旧市街
Vecrīga

郵便局あり

リガ駅
Stacija

メンズ橋
ens Tilts

ダウガヴァ川
クルーズ船乗り場

13. janvāra iela

バスターミナル
Autoosta
ツーリスト・インフォメーション・
センターあり

中央市場
Centrāltirgus
(P.166)

クルーズ船に乗ってダウガヴァ
川を進むと、リガが尖塔の街で
あることがよくわかります。

スピーチェリ地区
Spīķeri (P.142)

0 250 500m

買うならココ、食べるならココ。

　ゆっくりと時間をかけて料理を楽しんだり、リガのトレンドを感じるには新市街エリアやダウガヴァ川対岸がお勧めです。センスあふれるリガの真の表情が見えてきます。

買う

ART NOUVEAU RIGA Map❻
アールヌーボー・リガ
アールヌーボーデザインのアイテムが並ぶショップ。インテリアに取り入れたくなるお洒落な雑貨が見つかります。ちょっとしたお土産にもぴったりです。
Strelnieku iela 9, Riga
TEL:+371 67333030
OPEN:11:00-18:00
http://www.artnouveauriga.lv/

RIIJA Map❼
リイヤ
ラトビアの伝統工芸とモダンなデザインを融合させた日用品を揃えるお店。ラトビアのハンドクラフトのスタイリッシュな側面を実感できます。
Tērbatas iela 6/8, Riga
TEL:+371 67284828
OPEN:平日10:00-19:00、土10:00-17:00、日曜休
http://www.riija.lv/

galerija ISTABA Map❽
ガレリヤ・イスタバ
アーティストが経営するギャラリー兼ショップ。個性的なアイテムが並んでいます。2階のレストランもセンス抜群、日替わりで美味しい料理を味わえます。
Krisjāņa Barona iela 31A, Riga
TEL:+371 67281141
OPEN:12:00-20:00、日曜休

"とっておき"を探しに行こう。
新鮮な食材や作家さんのアイテムを購入できるマーケットもお勧めの散策スポット。コンサートやケータリングを楽しみながらお買い物も満喫できます。

カルンチエマ地区 Map⓭
(Kalnciema kvartāls)
Kalnciema iela 35,Riga
毎週土曜日10:00-16:00開催
www.kalnciemaiela.lv/

ベルガバザール Map⓮
(Berga bazārs)
Elizabetes iela 83/85,Riga
毎週土曜日10:00-16:00開催
http://www.bergabazars.lv/

La Kanna Map ⑨

ラ・カンナ
便利な場所にあり、気楽に美味しい料理を楽しめ、色々な使い方ができるカフェ・レストラン。週末のブランチ・ビュッフェでも人気です。
Tērbatas iela 5, Riga
TEL:+371 67286867
OPEN:10:00-22:00
http://www.lakanna.lv/

Fazenda bazārs Map ⑩

ファゼンダ・バザールス
料理はもちろん、自家製スウィーツやパンも美味しいレストラン。ゆっくりくつろげる内装です。ダウガヴァ川対岸に姉妹店もあります（Nometņu iela 7）。
Baznīcas iela 14, Riga
TEL:+371 67240809
OPEN:平日09:00-22:00、土10:00-22:00、日11:00-22:00
http://www.fazenda.lv/

Fabrikas Restorāns Map ⑪

ファブリカス・レストラーンス
工場跡を改装して造ったチーブサラ島にある見晴らしのいいレストラン。サマーシーズンはダウガヴァ川水上のテラス席がお勧めです。
Balasta dambis 70, Riga
TEL:+371 67873804
OPEN:月 - 金・日11:00-23:00、金土11:00-24:00
http://www.fabrikasrestorans.lv/

Traki Mierīga Kafenīca "Mierā" Map ⑫

トラキ・ミエリーガ・カフェニーツァ・ミエラー
リガのヒップスターが集まるエリアMiera ielaにあるカフェ。自家製のスープやキッシュ、ケーキに舌鼓をうちながらゆったりとくつろげます。こだわりの豆で入れるコーヒーにも定評あり。店内ではリガの作家さんの作品も販売しています。
Miera iela 9, Riga
TEL:+371 29360260
OPEN:平日08:00-21:00、土日10:00-18:00

日替わりのスープはこれだけでお腹いっぱいになるほど濃厚で美味しい。

古き良き建物群。
これぞ街歩きの醍醐味。

リガでの散歩は見るものがいっぱいです。様々な建築様式の凝った建具や造りに見惚れながら歩いていると、ふと上を見れば独創性ある彫刻や格好いい看板が。足元に視線を落とせば、風情ある石畳やタイルにレンガ。プレート類もあちらこちらに埋まっています。

上を向いて歩こう！

下を向いて歩こう！

1:かつての国家基準点。4地方の名前入り。
2:リガ建都800周年の時のマンホール。
3:「リガ歴史地区は世界遺産」と書かれたプレートbyユネスコ。
4:1989.8.23にバルト三国を結んだ人間の鎖、独立運動の記念プレート。
5:「リガに初めてクリスマスツリーが登場したのは1510年」日本語表記あり。

1day リガ散策のススメ

小ぶりで市内交通網が発達しているリガは気楽に観光スポットを巡ることができます。お買い物と伝統文化と自然に少しずつ触れながら観光するお勧めのコースです。

トコトコ徒歩で… 近回り篇

旧市街を中心に徒歩で回るコースです。中央市場は午前中がお勧め。聖ペテロ教会に昇ると旧市街の全体像がわかります。

1 中央市場でお買い物

日用雑貨も売ってます。

きのこのキーホルダーも。

2 聖ペテロ教会に登る

ここまで登れる！

旧市街を一望。

3 リガ大聖堂でパイプオルガンコンサート

12時からショートコンサートあり

これがチケット。

4 リガ旧市街の博物館へ

国立歴史博物館。

見応え抜群！

5 運河クルーズ

運河を抜けてダウガヴァ川へ。

6 旧市街でお買い物

セナークレーツでお宝発見

琥珀つきの花瓶、買いました。

(乗り物に乗って… **遠回り編**) まずバスに乗って民族野外博物館へ。新市街エリアはリガっ子向けのレストランやカフェが豊富なので食事もゆっくり楽しめます。

1 バス移動／最寄り停留所…Brīvdabas muzejs
ラトビア民族屋外博物館をひとまわり

あちこちにかわいい手仕事が!

色々な時代の建物を見学してね

白樺細工と遭遇。なんと乳歯ケース!

2 バス移動／最寄り停留所…Elizabetes iela
アールヌーボーエリアでお買い物＆博物館

アールヌーボー柄の刺繍ポーチ。博物館前のお店で発見。

入口入ってすぐのらせん階段が素晴らしい!

博物館は小物も必見です。

博物館入り口。

3 バス＆徒歩移動／最寄り停留所
ミエラ・イエラなら：A/S "Laima"/Arēna "Rīga" など
新市街中心部なら：R.Blaumaņa iela など
新市街エリアでお買い物

ウィンドウショッピングだけでも楽しい

民族衣装模様のエッグスタンド。お気に入りとの出会いあり。

4 徒歩移動
夜は芸術鑑賞

オペラとか!

Ēdiens
ラトビアの伝統料理

ラトビアの伝統料理を気軽に楽しむにはLIDOがお勧め。市内各所にある上に、カフェテリア方式なので実物を見ながら気になるものを選択できます。

ラトビア料理とは何か？ ジャガイモや黒パンが主食、肉や魚も食べる、サワークリームとディルを多用する、などなど、なんだかふわふわしていて説明が難しいのですが、これだけは断言できます。ラトビア料理は美味しい！ 新鮮な食材が用いられ、位置的、歴史的環境から様々な民族の料理が入り、その良い部分が混ざりあってできた料理です。

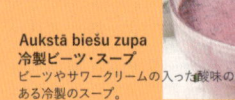

Aukstā biešu zupa
冷製ビーツ・スープ
ビーツやサワークリームの入った酸味のある冷製のスープ。

Mazsālīta siļķes fileja
塩漬けニシンのフィレ
サワークリームをあわせて食べる。サラダになっていることも。

食べておきたい厳選ディッシュ。

Griķi
ソバの実
ソバの実を茹でたもの。メインディッシュと一緒に。

LIDO atpūtas centrs／リド・アトプータス・ツェントゥルス
Krasta iela 76, Riga／TEL:+371 67504420／OPEN:11:00-23:00 無休
http://www.lido.lv
LIDOはリガ空港、旧市街 (Tirgoņu ielā 6)、新市街 (Elizabetes ielā 65とDzirnavu ielā 74/76) 他、数ヶ所にあるが、その中でもLIDO atpūtas centrsが一押し。ライブやアトラクションもあるテーマパーク仕立ての広々とした店舗でメニューの種類も他店舗を圧倒する。アクセスにはタクシーか公共交通機関を利用。最寄の停留所はトラム3番・7番・9番かバス12番の「Atpūtas centrs "Lido"」。

Mazsālīts gurķis
きゅうりのピクルス
ディルやニンニク、塩で漬けたキュウリ。
浅漬けと古漬けがある。

Graudainais biezpiens ar zaļumiem
ハーブ入りカッテージチーズ
ビエズピエンス（凝乳）と玉ねぎやディルなど
を混ぜたサラダ。

Maizes zupa
黒パンのスープ
スープ状にした黒パンとドライフルーツ
で作った冷製デザート。

183

Kartupeļu pankūka
ジャガイモのパンケーキ
すりおろしたジャガイモに繋ぎの小麦粉
や卵を混ぜて揚げ焼きしたもの。

Grilētas cūku ribiņas
豚肉のグリル焼き
豚リブ肉を焼いたもの。マリ
ネ漬けすることも。

Rabarberu dzēriens
ルバーブのジュース
ルバーブを煮て、
こしたジュース。

Lielveikals

使える スーパー マーケット Rimiで お土産！

リガのいたるところにあるスーパーマーケットRimiは営業時間も長く、頼りになる存在です。日持ちのするラトビアらしい食品もたくさん並んでいるので、お土産として持ち帰って楽しむことができます。

小さなきゅうりのピクルス。

パン粉。味つきなのでこれだけつけて調理しても美味しい。

人気のパン工場Liepkalni maiznicaが作ったパイ生地のお菓子。

冷製デザート、黒パンのスープ (Maizes zupa) を作れます。

260年同じ変わらぬレシピのバルザムス (Balzams) は24種のハーブでできた秘伝のお酒。

黒パン (Rupjmaize) は様々な工場で作られている。これは定番のLāči社製品。

パンケーキ用フラワーミックス。

"ラトピア"を
おすそ分け。

間にキャラメルクリームを挟んだ
クルミ形のお菓子Riekstiņi。

トマトペーストのスパイシーなスープ (Soļanka)。サワークリームとレモンを合せて食べる。

ラトピアはビール (Alus) 大国！ 様々なメーカーのビールを味比べできます。

麻の種でできたバター (Kaņepju aizdars)。黒パンに塗って食べる。

美容と健康に最適なシーベリーのお菓子。

185

縦に長〜いポテトチップス。

ハズレなし！

1世紀以上の歴史を誇るスプラット（ニシン科の小魚）の燻製オイル漬け Šprotes。

時々モデルチェンジするRimiのエコバッグ。

足をのばして地方へも…

　地方をめぐるとわかるのがラトビアの魅力の奥深さ。小さいけれど個性豊かな町や村をめぐり、その地域独特の手仕事と素朴な生活に触れ、自然の中に身を委ねてみると、その穏やかな時の流れに気がつきます。森を抜け、川を越え、湖や海沿いを進んでゆっくり旅すると、移ろう自然とともに素晴らしい景色が広がっています。森林や田畑、丘陵地帯が果てしなく続く大地、時折現れる愛らしい町や村、そしてその地で丁寧に暮らす人々というラトビアの姿が見えてきます。

187

4つの地方を満喫！

　ラトビアへ行くならリガ以外も訪れないともったいない！ とても小さいけれどほっとする田舎の町や村が待っています。それぞれの町で開催される音楽祭や建都祭も見逃せません。見所が書かれた地方ごとの地図はツーリスト・インフォメーション・センターで手に入ります。

ヴィゼメ地方

Sigulda散策―1泊―Cēsis散策―帰路

リガから鉄道で1時間15分ほどのスィグルダ（Sigulda）には風光明媚なトゥライダ城[1]があり、敷地内には博物館[2]も。大河ガウヤ川に沿って山道ハイキングも楽しんで1泊。翌日はラトビアを代表する古都ツェーシス（Cēsis）[3]散策へ。ツェーシス城[4]では、古代アクセサリーのワークショップ[5、6]を楽しんでから帰路へ。

ラトガレ地方

Daugavpils散策―1泊―Līvāni、Preiļi、Aglona散策―帰路

リガから鉄道で4時間ほどのダウガウピルス（Daugavpils）はロシア色を感じるラトビア第2の街[1、2]。市場[3]や陶芸センター（Daugavpils Māla mākslas centrs）[4]、工芸品に触れることのできるLatviešu mājaを散策して1泊。帰路はリーヴァーニ（Līvāni／P.196）やプレイリ（Preiļi／P.52）、アグロアナ（Aglona／P.196、209）いずれかに立ち寄って帰路へ。

ゼムガレ地方

Jelgava散策―Bauska1泊―Rundāle見学―帰路

リガからバスで1時間ほどの歴史ある街イェルガワ（Jelgava）はレンガの建物や点在する教会が印象的な街。歴史博物館を兼ねた展望台［1／P.198］を見学し、古城［2］のあるバウスカ（Bauska）へ移動して1泊。翌日は近郊にある、見事な室内装飾のルンダーレ宮殿［3、4、5／P.198］をじっくり見学して帰路へ。

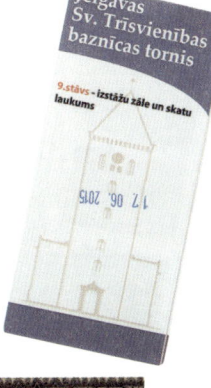

クルゼメ地方

Liepāja散策―1泊―Kuldīga散策―帰路

リガからバスで3時間半ほどのリエパーヤ（Liepāja）はバルト海に面し、古くから港町として栄えた街［1、2］。工芸品の市が立つお祭り［3、4］があったり、手仕事に触れることのできるクラフト・ハウス（Amatnieku nams）がある。1泊して翌日は幅の長い滝のある古都クルディーガ（Kuldiga）を散策してから帰路へ。

Lauku ceļotājs

手仕事や田舎暮らしを体験！
カントリーホリデイズ

　ラトビアにはカントリー・ホリデイズ（Lauku ceļotājs）という地方専門の観光協会があり、誰でも気軽に田舎暮らしを体験することができます。

　何度か滞在しているのが、リンバジ（Limbaži）にある農家。敷地内にある小さな木造の一軒家がお宿です。温かく迎えてくれたご夫妻に案内してもらい、扉を開けるてみると大切に使われてきた古い家具や道具の並ぶ可愛いお部屋が。美しい自然の中にあるこのお部屋…、こんなところで過ごせるなんて！と感動しました。家畜を飼い、畑や小川があるので、出てくる料理は全部ここで採れたもの。ご夫妻は家事や畑仕事の合間を縫ってラトビアの伝統的な暮らしについても教えてくれます。

　時計の針や言葉の壁をすべて忘れてまっさらな気持ちでのんびりと過ごしたい大切な場所です。

ただただ美しい自然に囲まれたお宿

ピルツもあります

遊びにきてガー

山羊を放牧するお母さん

糸紡ぎや釘づくりを教えてもらいました。

味のある家具にそっと掛けられたクロス。
居心地のいい愛すべきインテリアばかり。

食事はこちらで！風が通り抜けて気持ちいい。

お父さんが釣った魚、採れたての野菜、絞ったばかりの牛乳、採れたての卵で作ったお母さんの手料理。どれも美味しい！

INFOMĀCIJA

Lauku ceļotājs／ラウク・ツェリュアターイス
Kalnciema iela 40, Riga／TEL:+371 67617600／OPEN:平日 09:00-17:00、土曜・日曜休
http://www.celotajs.lv
民宿やコテージ、お城を利用したマナーハウスなど、ラトビア全土にある様々な種類の宿泊施設を紹介してくれる観光協会。宿ごとに乗馬、キノコ狩り、釣り、クラフト体験などの独自のアクティビティも。インターネットでも予約できるが、リガのオフィスに行けば窓口で相談に乗ってくれる。

博物館は宝箱

　ラトビアには国公立の博物館（Muzejs）をはじめとし、個人がコレクションを並べるプライベート施設など数々の博物館があります。小規模なものが多いですが、ただ並べているのではなく丁寧に解説をしてくれて思い入れが伝わってくる伝統文化の宝庫です。また、TLMS（P.80参照）やリガにある文化工芸センター・リトゥムス（Kultūras un tautas mākslas centrs „Ritums")でも頻繁に展示会があります。

正装時にはショールを3枚重ねるのだそう。合唱の歌詞や料理についても丁寧な説明が。

01 Etnogrāfiskajā māja "Zvanītāji"
民族学の家「スヴァニーターイ」

193

　深い藍色が印象的な民族衣装をまとうクルゼメ地方最南端にあるルツァヴァ(Rucava)の人々。ずっと心惹かれていたこの地にある博物館、ズヴァニーターイを訪れました。
　到着時刻に合わせて入口には民族衣装に身を包んだおばあちゃんたちが。この地で歌い継がれている合唱での出迎えを受けて瞬く間に心がきゅんとなります。ここは19世紀建造の歴史的価値のある木造家屋を利用した体験型の博物館。世界中に散らばってしまったルツァヴァの手仕事と人を集めた1999年の会議をきっかけに生まれました。室内に入るとサンドラ・アイガレ(Sandra Aigare)さんをはじめとするおばあちゃんたちが得意の手仕事について教えてくれました。バルト海とリトアニアに2方面を囲まれたルツァヴァには独特な手仕事や方言が残ったのだそう。合間には伝統料理のふるまいも。別れ際も姿が見えなくなるまで歌いながら見送ってくれました。

"Zvanītāji", Rucava
TEL：+371 26814051
OPEN：サマーシーズンのみ12:00-16:00、上記プログラムや食事は要予約

いと愛らし、ルツァヴァの刺繡。

195

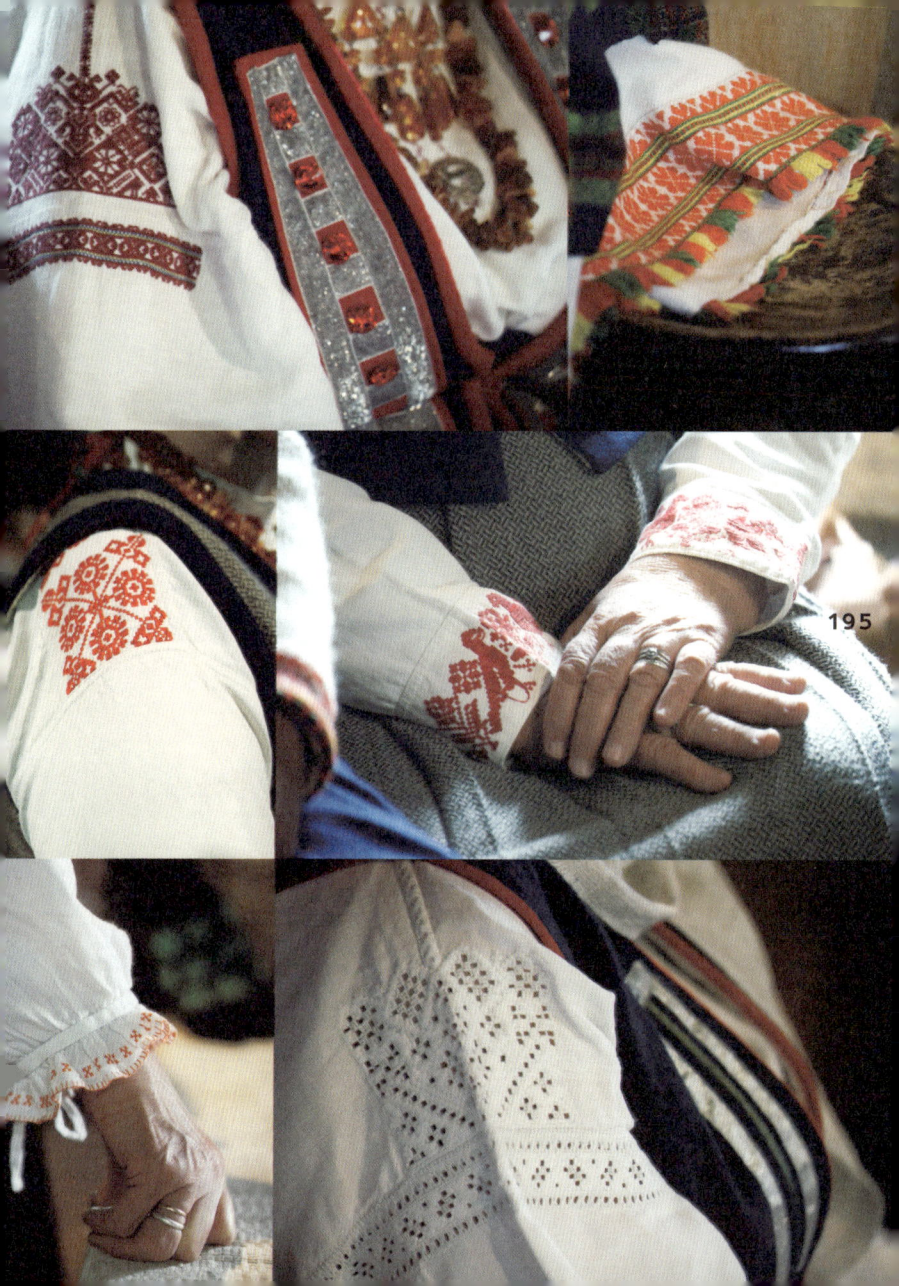

02
Maizes muzejs
パン博物館

黒パンの伝統的な作り方や慣習についてデモンストレーションと共に教えてくれる博物館。料理やフォークダンスといったお楽しみつき。黒パンの購入も可能。

Daugavpils 7, Aglona
TEL：+371 29287044
OPEN：不定休　要予約

03
P. Čerņavska keramikas māja
P. ツェルニャヴスキス・陶器の家

プレイリ歴史と工芸博物館(Preiļu vēstures un lietišķās mākslas muzejs)の付属施設。ラトガレ地方を代表する陶芸家ポリカルプス・ツェルニャヴスキス(Polikarps Čerņavskis)にちなんだ博物館。

Talsu iela 21, Preiļi
TEL：+371 65322731
OPEN：不定休　要予約

04
Latgales mākslas un amatniecības centrs
ラトガレ芸術工芸センター

ラトガレ地方の伝統工芸品を展示する博物館とリーヴァーニ・ガラス博物館を内包する芸術工芸センター。ラトビアで1番長い腰紐も展示されている。

Domes iela 1, Līvāni
TEL：+371 65381855
OPEN：季節によって変動、HP確認のこと
http://www.latgalesamatnieki.lv/

05
A.Pumpura Lielvārdes muzejs
A.プンプルス・リエルワールデ博物館

リエルワールデ帯と伝説の英雄ラーチプレーシスLāčplēsisにまつわる博物館。事前にグループで予約すればガイドツアーも開催してくれる。周辺には13世紀の古城跡も。

Edgara Kauliņa aleja 20, Lielvārde
TEL：+371 65053759
OPEN：火-土10:00-17:00、日10:00-15:00、月曜休

06
Alsungas muzejs
アルスンガ博物館

独特の文化を残すユネスコ無形文化財の村アルスンガの歴史と伝統工芸品を展示している。近隣にハンドクラフトを買える土産物屋Rijaがある。

Skolas iela 11a, Alsunga
TEL：+371 29813446
OPEN：季節によって変動

07
Rīgas Jūgendstila muzejs
リガ・アールヌーボー博物館

リガのアールヌーボー建築群ひしめくエリアにある。ラトビアで花開いたアールヌーボー様式の内装を、家具や小物を含めて見学できる。

Alberta iela 12, Riga
TEL：+371 67181465
OPEN：火-日10:00-18:00、月曜休
http://www.jugendstils.riga.lv/

LATVIJAS MUZEJU KARTE

ラトビア博物館マップ

Rīga
- „Laimas" šokolādes muzejs　ライマ・チョコレート博物館（P.65）
- Dekoratīvās mākslas un dizaina muzejs　工芸とデザインの博物館　19世紀以降の芸術的価値のある陶器や織物などの工芸品を展示。 http://www.lnmm.lv/lv/dmdm/
- Latvijas nacionālais vēstures muzejs　ラトビア国立歴史博物館　古代から現代に至る歴史的価値の高い衣装や工芸品を展示。 http://lnvm.lv/
- Latvijas etnogrāfiskais brīvdabas muzejs　ラトビア民族野外博物館（P.21）
- Rīgas porcelāna muzejs　リガ磁器博物館 P.146で紹介したリガ磁器工場の製品を展示。http://porcelanamuzejs.riga.lv/
- Rīgas Jūgendstila muzejs　リガ・アールヌーボー博物館（P.197/07）

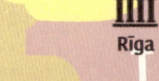

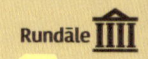

Ventspils
- Ventspils muzejs　ヴェンツピルス博物館　中世の騎士団城跡、工芸の家、野外博物館等で構成されている。 http://muzejs.ventspils.lv/

198

Alsunga
- Alsungas muzejs　アルスンガ博物館（P.197/06）

Rucava
- Etnogrāfiskā māja „Zvanītāji"　民族学の家「ズヴァニーターイ」（P.193/01）

Jelgava
- Sv.Trīsvienības baznīcas tornis　聖三位一体教会の塔　展望台を兼ねた塔内に歴史博物館がある。 http://www.tornis.jelgava.lv/page/

Rundāle
- Rundāles pils　ルンダーレ宮殿　バロックとロココ様式の豪華絢爛な宮殿。 http://rundale.net/

LATVIJAS 99 PRIVĀTIE MUZEJI UN KOLEKCIJAS
Ilze Būmane著

ラトビア全土に散らばる小さな博物館やプライベートの展示室99か所を写真を交えて詳しく紹介。気になる博物館を訪れたくなる1冊です。前作「111 PRIVĀTIE MUZEJI UN KOLEKCIJAS LATVIJĀ」もあり。

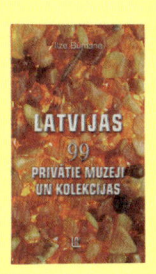

Sigulda
- **Turaidas muzejrezervāts**　博物館トゥライダ博物館／保護区／美しい古城トゥライダ城を含む歴史博物館。
  http://www.turaida-muzejs.lv/

Lielvārde
- **Uldevena koka pils**／ウルデヴェナ木造城　12世紀の木造の城を再現、当時の暮らしが分かる。
- **A. Pumpura Lielvārdes muzejs**　A.プンプルス・リエルワールデ博物館 (P.197/05)

Preiļi
- **P.Čerņavska keramikas mājas**　P.ツェルニャヴスキス・陶器の家 (P.196/03)

Aglona
- **Maizes muzejs**　パン博物館 (P.196/02)

Līvāni
- **Latgales mākslas un amatniecības centrs**　ラトガレ芸術工芸センター (P.196/04)
- **Līvānu stikla muzejs**　リーヴァーニ・ガラス博物館
  P.150で紹介したガラス製品を展示。上記センター内にある。
  http://www.latgalesamatnieki.lv/

四季のお祭り

緯度が高く夏と冬の日照時間に差があるラトビアでは古来より太陽の動きを重要視し、1年を8つに区切ってその節目となる立春、春分、立夏、夏至、立秋、秋分、立冬、冬至にお祭りを行ってきました。なかでも夏至は特別なお祭りの日です。

Lieldienas

春
イースター

このガーゼを外すと、右の卵になります

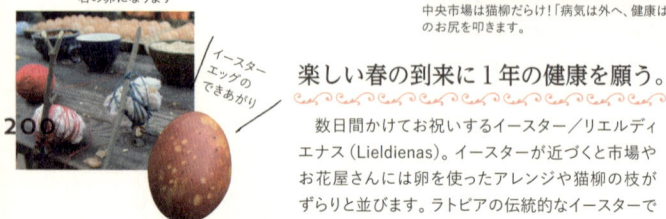

イースターエッグのできあがり

中央市場は猫柳だらけ！「病気は外へ、健康は内へ」と唱えながら親しい人のお尻を叩きます。

楽しい春の到来に1年の健康を願う。

数日間かけてお祝いするイースター／リエルディエナス (Lieldienas)。イースターが近づくと市場やお花屋さんには卵を使ったアレンジや猫柳の枝がずらりと並びます。ラトビアの伝統的なイースターでは、健康を祈願しながら猫柳でお尻を叩き、玉ねぎの皮で色をつけたイースターエッグを準備して「卵の戦い」を行い、げんを担いでブランコを漕ぐのが習わしです。特に卵は重要なアイテム。その丸さは太陽や健康の象徴とされていて、民謡ダイナにも卵の出てくるフレーズが多数残っています。

なんとも愛らしいラトビアのイースター、参加できるものも多数あり、イースターエッグを作ったり、ブランコを漕いだりできます。

森で乗るブランコは気持ちいい！

夏に蚊やウマバエにさされないように、とブランコを漕ぎます。

ラトビア民族野外博物館などでは市も立ちます。

こんなの買ったよ

太陽の文様の刺繍が入ったブローチ。

芸術的な細工のトレイ形バスケット。

雌雄のニワトリの編みぐるみ。

またまた発見！ 木とバスケットを組み合わせた入れ物。

Līgo

夏
夏至祭

最高に明るい夏の太陽の下で。

　ラトビアでは6月に入ると誰もがそわそわ。人々の話題は「今年のリーゴ (Līgo) はどうしよう?」で持ち切りになります。リーゴとは夏至祭のことで、もっともラトビアらしいお祭りと言われていて、ヤーニ (Jāni) ともいいます。1年でいちばん日照時間の長いこの日はラトビア人にとって特別で最高に楽しい日。毎年6/23〜24が祝日になっていて、家族や親戚、友人と森や海辺で焚火を囲い、歌って踊って、飲んで食べて1晩を過ごします。「ヤーニの夜に眠る人は、夏の間眠ることになる」とダイナで歌われているように、子どもたちも深夜まで走り回って遊んでいます。

　最近では観光客でもリーゴを体験できるイベントが開催されていて、特に本来の夏至の日にスィグルダのトゥライダ城で行われるリーゴは最も伝統にのっとったものといわれています。

リーゴ前には大聖堂広場に緑の市 (Zaļu Tirgus) が。祭に欠かせない食材やハンドクラフトが並びます。

ステージでは合唱やダンス、クアクレ演奏などリーゴ用のプログラムが。

なかでも驚くのは売られている花の量!

リーゴで使う花の冠!

孔雀の真正面の姿を表現した斬新な手編みの鍋つかみ。

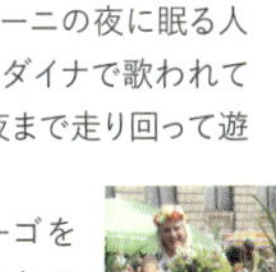

お花の入ったアロマ・キャンドル。

ポーチと同じスゲ材の鍋敷き。

ほんのりと草の香りがするポーチ。

夏至祭の祝い方

程度の差はあれど、どの家庭でも伝統を取り入れて盛大にリーゴ (Līgo) をお祝いします。どこもかしこもお花だらけ。海辺に行くとぽつぽつと連なる焚火が見えます。みんな同じような時間を過ごしているのでしょう。たたずんでいるだけで幸せな気持ちになります。

Līgo, Līgo〜♪

1 花畑でお花をたっぷり摘みます。ラトビアの国花、デイジーは必須。

2 摘んだ花で冠作り。これがないとリーゴは始まりません。

いつも夏至祭を過ごす友人のサマーハウス。

3 ご馳走もスタンバイ。

10 松明を掲げ、焚火を囲みます。

Līgo, Līgo〜♪

11 焚き火を飛び越すことで翌年の健康を祈願します。

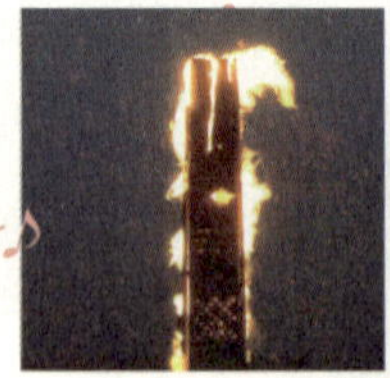

ここのリーゴでは毎年違ったデザインの凝った焚火を作ります。

12 日没とともにかがり火に火の矢で着火。日の出まで太陽の代わりとなるかがり火はできるだけ高い位置に。

13 花と樫の冠はお祭りの後、1年間お守りとして家に飾り、翌年の焚き火で燃やします。

14 日の出まで一晩中歌や踊りを。

Ligo, Ligo~♪

5 リーゴの定番劇 "Skroderdienām Silmačos"。

男性は樫の葉の冠を!

4 民族衣装に着替え花の冠をかぶってワイワイと。

6 食べて飲んで歌って…、祭りはこれから!

7 もちろんフォークダンスも。

203

8 日没が近づいて来たので海辺へ移動。

Ligo, Ligo~♪

9 1年で1番長かった日が沈むのをみんなで見届けます。

車もリーゴ使用!

15 新しい朝が来ました。この日を境に冬至へ向かって日が短くなっていきます。

Ligo, Ligo~♪

キャラウェイシードの入った「ヤーニュチーズ」はリーゴにかかせません。

こちらも必須のビール。

Miķeļdiena

秋
収穫祭

収穫祭では収穫物を使った料理も振舞われます。

大地の恵み、収穫の秋。

　秋分の日を迎える頃、ラトビアでは主要な農作業が終わり、作物は収穫の時期を迎えます。元々は豊穣の神様ユミス（Jumis）を祀り、実りを感謝するとともに翌年の豊穣を祈願しました。今では秋分の日周辺に大聖堂広場や野外博物館など各所でカボチャやジャガイモ、キノコなどの農作物やハンドクラフトを並べる収穫祭、ミチェリュディエナ（Miķeļdiena）が開催されています。

収穫祭のデコレーションはひと際可愛い！

色々なお祭りで手作りクッキーを売ってるおばあちゃん。エプロンが収穫祭仕様に。

工芸品はもちろん、見慣れない品種の野菜が並ぶ収穫祭は見ていて飽きません。もちろんステージプログラムも充実。

こんなの買ったよ

ドングリ形のネックレス。陶製。

キノコ形の小さなバスケット。

リンゴ形のこの陶器はキャンドルの火消しに。

芸術の秋、バイオリン形の木製カッティングボード。

Ziemassvētki

冬
クリスマス

冬には冬の楽しみが。

　寒くて長いラトビアの冬ですが、冬特有の過ごし方もたくさんあります。オペラやコンサートのシーズンの幕開けとあわせて、クリスマスもお楽しみのひとつ。1か月以上の間、リガ市内ではエスプラナーデ（Esplanāde）、リーヴ広場（Līvu laukums）、大聖堂広場（Doma laukums）の3会場でクリスマス・マーケットが設営され、ラトビアのあちらこちらで期間限定のギフトショップやマーケットが開かれます。ブズリスを作り、ピッパルクーカス（Piparkūkas）を焼いて、キャンドルに火を灯し、各家庭でもクリスマス支度が始まります。もちろんツリーの準備も。生の木にデコレーションをするラトビアでは1家族につき1本まで国有林でモミの木を伐採することが認められています。家族で過ごす時間がひと際長くなるラトビアの冬、家の中はぽかぽかです。

市庁舎広場に立てられたモミの木に、1510年世界で初めて装飾が施されたことから、ラトビアはクリスマスツリーの発祥の地といわれています。

クリスマスマーケットは大聖堂広場がメイン会場。ホットワインを片手にお買い物を楽しめます、サンタさんのお家もあります。

クリスマスはご馳走を作って家族や親戚と過ごします。ゲームをしたり歌ったり、温かくて楽しいパーティです。

冬になると窓という窓辺に山形のキャンドルの優しい灯りが。

愛らしすぎる編みぐるみ。

文様の刻まれた陶製のキャンドルホルダー。

白樺細工のオーナメント。アウセクリス形。

白樺をくり抜いて作ったミニミニツリー。

205

冬至祭の祝い方

ラトビアにはクリスマスよりも前から伝統的な冬至祭という風習がありました。ラトビア語のズィエマスヴェートゥキ（Ziemassvētki）は直訳すると冬祭り、クリスマスと冬至祭いずれも意味します。

冬至祭のメインは丸太を曳きながら行う仮装行列のチェカタス（Ķekatas）。悪い霊に身元がばれないように熊や鶴などそれぞれ意味を持つ仮装を行い、大きな音を立てて邪悪なものを追い払いながら家々を回ります。同時に丸太を曳き回すことで、丸太に1年の厄を集めます。その後、丸太をお清めし、焚火で燃やすと厄払いが完了します。夏至祭と同じように焚火を囲んでフォークダンスも。円形になることで太陽のエネルギーをもらえると信じられています。ズィルニ（Zirņi）という豆料理も伝統的。涙の粒を表す豆を残さず食べると、翌年に悲しみを持ち越さないといわれています。

この日を境に日照時間が長くなる冬至祭。太陽を待ち望む喜びが爆発しているような気がしてとても温かい気持ちになりました。

子どももしっかり仮装。愛らしい…！

この丸太に厄を集めています。

野外博物館では伝統的な冬至祭を体験できます。

伝統的な冬のお祭り。

旧市街もこのとおり…

アーケードも順路に。

旧市街でも例年チェカタスが開催されています。

私も丸太を曳きました!

輪になって
フォークダンス。

マーケットもあるよ

厄が集まった丸太のお清め。

最後に丸太を焚火で燃やします。

\ リガで楽しめる! /

お祭りスケジュール

1月 1日:元旦

2月 初旬:立春祭(Meteni)

3月 下旬:春分祭(Lieldienas)、
移動祝祭日:復活祭(Lieldienas)

4月 移動祝祭日:復活祭(Lieldienas)

5月 4日:独立回復記念日
初旬:立夏祭(Ūsiņi)
第3土曜日:ナイト・ミュージアム
(Muzeju nakts)
中旬:ミエラ・イエラのお祭り(Miela ielas vasarsvētki)

6月 初旬:教会ナイト(Baznīcu nakts)
第一週末:民芸市(Gadatirgus)
23-24日:夏至祭(Līgo、Jāni)

7月 初旬:歌と踊りの祭典(Dziesmu un deju svētki)※開催年のみ。

8月 初旬:立秋祭(Māras)
中旬:野外博物館のコンテンポラリークラフトマーケット
中旬:リガ建都祭(Rīgas svētki)
14-15日:アグロアナ大巡礼

9月 初旬:ホワイト・ナイト(Baltā nakts)
中旬:野外博物館のthe Day of Old Craft
下旬:秋分祭(Miķeļdiena)

11月 初旬:立冬祭(Mārtiņi)
11日:ラーチプレーシス(Lāčplēsis)の日
18日:独立記念日
下旬:光の祭典"Staro Rīga"

12月 初旬より:クリスマス・マーケット
下旬:冬至祭(Ziemassvētki)
25日:クリスマス
31日:大晦日カウントダウン

※その他地方ではリーヴ人のお祭りや音楽祭、町ごとの建都祭などが開催されている。
※年中行事は実際の祝祭日とイベント開催日が異なることが多いので注意が必要。

STĀSTS Nr.5
ラトビアの大イベント

　ラトビアには他にも特別なイベントがあります。それはユネスコの無形文化財にも指定されている歌と踊りの祭典とカトリックの聖地アグロアナへの大巡礼。いずれも脈々と続いてきた大切なお祭りです。

5年に1度の開催
歌と踊りの祭典

　歌と踊りの祭典（Dziesmu un deju svētki）はその名の通りラトビアの歌や踊りといった伝統文化を体現する壮大なお祭りで5年に1度開催されます（その他の年には「学生による」祭典も）。歌の方は25回、踊りの方は15回開催されてきた100年以上も続く歴史あるお祭りです。ラトビア人のアイデンティティを象徴するこの祭典は、旧ソ連占領下でも歌詞を替えて続けられ、歌うことで民族の一体感を保ったといいます。約1週間の期間中、ラトビア全土から合唱団、舞踊団、オーケストラが集まり、リガのいたる所でステージやイベントが開催されています。フィナーレの合唱ステージは鳥肌もの。15,400人の歌声は空気となって体や神経を包んでくれます。

　2018年の開催はラトビア建国100周年と重なる記念すべき祭典です。すぐ売り切れてしまいますが、チケットはP.215の方法で買うことができます。

幽玄な演出の中で行われる開会式。

最終日には祭典参加者約4万人！のパレードが。色とりどりの民族衣装が美しい。

踊りのフィナーレは約1万5千人による圧巻のステージ。

期間中は手工芸を展示販売するマーケットも。

コンクールで勝ち上がってきた合唱団だけが立てる最高に名誉あるフィナーレのステージ。歌声は深夜まで響き渡ります。

指揮を見て一つになる歌声。言葉にできない感動です。

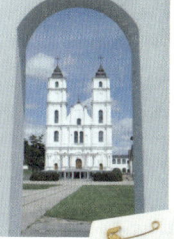

大聖堂敷地内では聖水が湧いています。

18世紀に再築された大聖堂。

ラトガレ地方は別名、湖の大地。大聖堂の両サイドにも湖が。

大聖堂内部、祭壇のイコン。

周囲にはバスケットなどの工芸品から日本のような屋台までずらりと並んでいます。

北ヨーロッパ各地から人々が集まる
アグロアナ大巡礼

　ラトガレ地方のアグロアナ（Agloana）にある大聖堂はカトリックの聖地。毎年8月15日の聖マリアの昇天日に北ヨーロッパ各地から巡礼者が訪れます。ローマ法王が訪れた際には15万人もの巡礼者が参列したといいます。敬虔な信者は14日の23時までに徒歩で大聖堂を目指すそうです。宿の確保が難しいのですが、観光客も参列できます。

　普段は長閑で小さな村の道路も、この日は巡礼に向かう車で何キロにも渡って大渋滞。沿道には各地から何日もかけて大聖堂まで歩いてきた巡礼者の姿が続いていて、大聖堂周辺には十字架・イコン・蝋燭や工芸品を揃えるブースが並んでいます。正門から中へ入ると広大な芝生の敷地にはキャンドルを手にした大勢の人々が。無数にあるキャンドルの灯りは幻想的で、夜を徹して捧げられる祈りの響きが厳かな雰囲気を作り出していました。

十字架の丘で灯されたキャンドルの火が無数の人の手で揺らめいています。

5 旅の基礎知識
LATVIJA

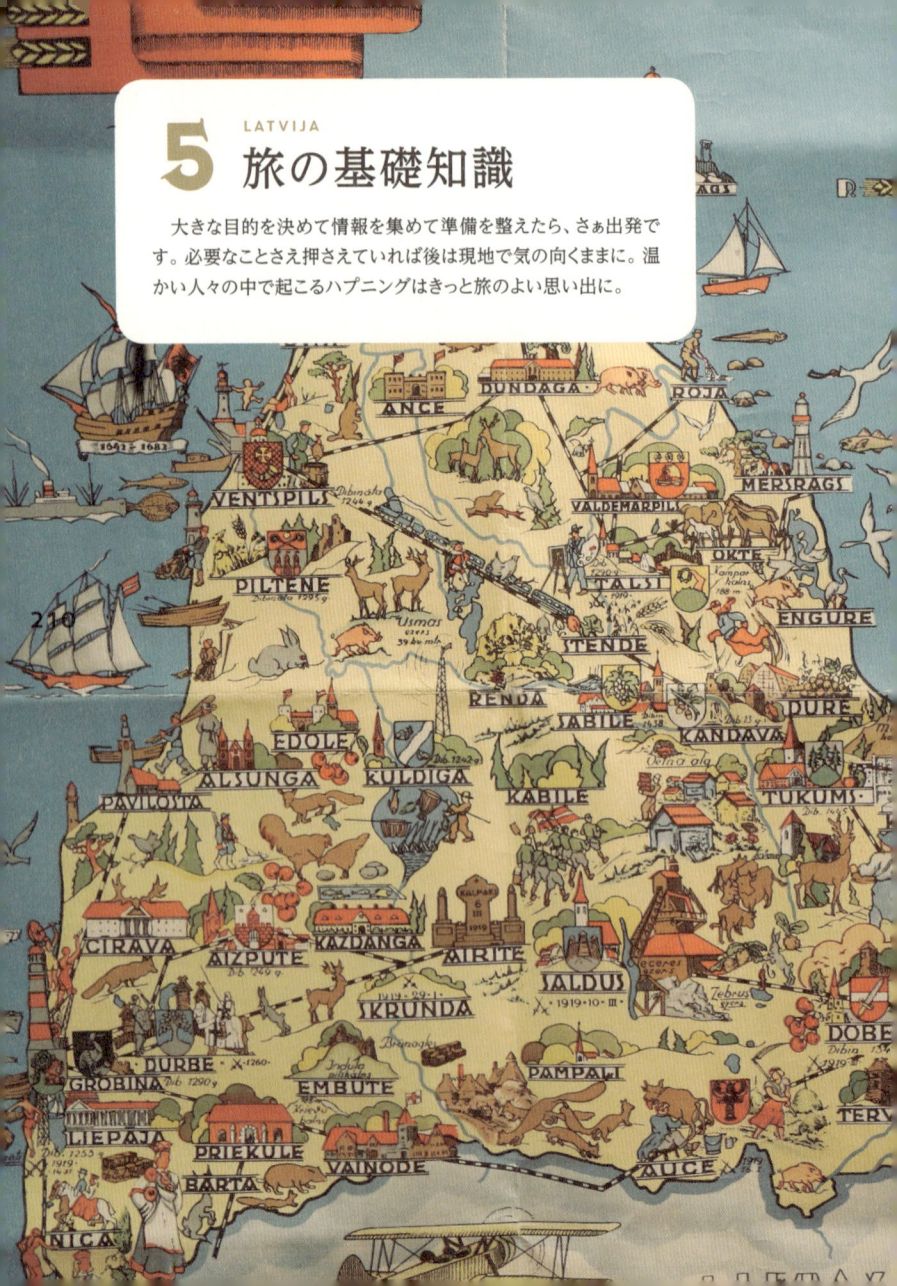

　大きな目的を決めて情報を集めて準備を整えたら、さぁ出発です。必要なことさえ押さえていれば後は現地で気の向くままに。温かい人々の中で起こるハプニングはきっと旅のよい思い出に。

NAŽI
SALACGRIVA
MAZSALACA
RŪJIENA
VALKA
MATIŠI
Burtnieku ezers
STRENČI
127 m. Zilais kalns
VALMIERA
TRIKĀTA
LIMBAŽI
SMILTENE
J. BALODIS
STRAUPE
CĒSIS
PRIEKUĻI
RAUNA
SAULKRASTI
LIGATNE
DZĒRBENE
ŪRAS
BEŽA
04 KM
CARNIKAVA
SIGULDA
VECĀKI
PIEBALGA
ROPAŽI
RIGA
ĒRGLI
R-JŪRMALA
IKŠKILE
KEKAVA
OGRE
VECBEBRI
TOME
BALDONE
KEGUMS
LIELVARDE
KOKNESE
PLAVINAS
JELGAVA
IECAVA
JAUNJELGAVA
DAUDZEVA
JEKABPILS
TAURKALNE
MEŽOTNE
BAUSKA
VIESITE
RUNDALE
SKAISTKALNE
KAUCMINDE
NERETA
ROBEŽA 570 KM

ラトビアへの行き方

まず必要となるのが航空券。ラトビアへは直行便が無いので必ず乗り継ぎが必要になりますが、その分どの航空会社を選ぶかでプラスアルファのお楽しみがついてきます。

× ×

エアラインの選び方

航空会社を選ぶ基準は、価格を取るか、フライト時間を取るか、乗り継ぎ地も旅するか、マイルを貯めるか。下記の会社は接続便が同じエアライン、もしくは共同運航便なのでなにかと安心です。お勧めはフィンランド航空。成田、名古屋、関空それぞれから毎日出発していて、乗り継ぎが良く、総フライト時間も13時間弱と最短です。またラトビアのフラッグ・キャリアairBaltic（https://www.airbaltic.com/）はヨーロッパをほぼ網羅しているので、ヨーロッパ旅行のついでにラトビアに立ち寄ることもできます。

フィンエアー ヘルシンキ経由
（成田、名古屋、関空発）http://www.finnair.com/
スカンジナビア航空 コペンハーゲン経由
（成田発）https://www.flysas.com/
KLMオランダ航空 アムステルダム経由
（成田、関空発）http://www.klm.com/
ルフトハンザ航空 フランクフルト経由
（成田、名古屋、関空発）http://www.lufthansa.com/
ターキッシュ・エアライズ イスタンブール経由
（成田、関空発）http://www.turkishairlines.com/

airBalticに乗り継いでリガへ！

× ×

機内での楽しみ

オンライン・チェックインを利用しインターネットで事前に好みの座席を指定しておくと機内で快適に過ごせます。特にリガ離発着便はフライト時間が短いので窓際を確保し、景色を楽しむのも◎。

機内食にドキドキ

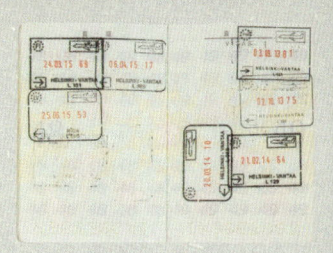

乗り継ぎ空港での過ごし方

免税店でのお買い物は大きな楽しみの一つ。その土地ならではの土産物も並んでいます。ヘルシンキのようにシェンゲン協定加盟国が乗り継ぎ地になる場合は入国審査が行われるので時間に余裕を持って行動する方がベター。乗り継ぎ時間が長く空港から中心地までアクセスが良い場合は、思い切って街に繰り出すという手もあります。

飛行機以外の行き方

バルト三国を回ったり、近隣のヨーロッパ諸国からラトビアを目指す場合は国際バスが便利。地続きのヨーロッパならではの醍醐味です。ロシアやベラルーシからは鉄道という選択肢も。スウェーデンのストックホルムからはフェリー（Tallink Silija Line、http://www.tallink.com/）も出ていて、優雅な船旅を楽しめます。

> シェンゲン協定とは⇒ラトビアの他に、リトアニア、エストニア、フィンランド、ドイツなどヨーロッパ26か国が加盟する協定。最初の国と最後の国で出入国審査を受ければ、あとは加盟国間での国境審査が無く、自由に行き来できる。ただし、最初の加盟国入国日から起算して180日間のうち、加盟国全体で合計90日間のみ滞在できる。

リガ空港

乗り継ぎ地で入国審査があった場合、リガ空港では審査が無く、パスポートにスタンプももらえません（イスタンブールなどシェンゲン協定加盟国外から到着した場合は入国審査あり）。到着したら荷物を受け取るだけ。空港には両替所やATMがあるので、手持ちのユーロが無い場合は両替を。市内までバスで向かう場合は空港にあるキオスク"NARVESEN"でチケットを買っておきます。空港内はフリーWi-Fi完備、ツーリスト・インフォメーション・センターもあります。

帰国の際、土産物は市内で買っておく方が無難。出発ロビーにバゲージラッピングサービスがあるので荷物が心配な場合は利用できます。レストランやカフェもあります。
リガ国際空港 http://www.riga-airport.com/

船でラトビア入りするルートも！

パスポートのスタンプ

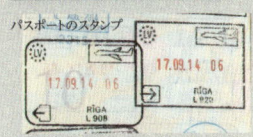

空港からリガ市内への移動方法

荷物が多い場合はタクシーが便利。到着ロビーを出た正面がタクシー乗り場です。市バスで移動する場合は、建物を出て駐車場の向こう側にある停留所から22番バスに乗車。旧市街へは30分ほどです。「11.novembra krastmala」か「Autoosta」が最寄りの停留所になります。

情報の集め方

　ガイドブックや関連書籍は少ないですが、インターネットを利用すればある程度の情報を集めることができます。ただしサイトの情報は更新が遅かったり、イベント日程が直前で変わることもあるので、こまめなチェックが大事。

× ×

国内で

ガイドブックを利用

　まずは王道、市販のガイドブックを活用。写真を見てイメージを膨らませたり、大まかな行程を立てたりとワクワクする時間です。映画や歴史書などで事前に知識を深めておくと現地の景色がぐっと身近になるはず。

ラトビア政府観光局へ行ってみよう

　東京にあるMatkatori（マトカトリ）はラトビア政府観光局の日本代表オフィス。旅行セミナーやイベントを開催したり、パンフレットを配布しているので、1度は訪れておきたいところです。豊富な資料を閲覧でき、旅のアドバイスも貰えます。

Matkatori／マトカトリ
東京都中央区東日本橋3-9-11 From East Tokyo 5F
TEL:03-6661-2045
OPEN:火‐土10:00-18:00（12:00-13:00を除く）、月曜・日曜・祝休
http://www.matkatori.jp/
ラトビアやフィンランドの情報が広く手に入り、雑貨や旅行書籍の販売も行っている。

× ×

インターネットで

　情報収集や時刻表の検索などだけでなく、後のページで紹介するサイトではイベントチケットや乗車券の購入も可能です。

駐日ラトビア共和国大使館 http://www.mfa.gov.lv/jp/
在ラトビア日本国大使館 http://www.lv.emb-japan.go.jp/index_jp.html
ラトビア政府観光局（観光情報を日本語で詳しく紹介）http://www.latvia.travel/ja
LIVE RĪGA（リガ市観光局、イベント検索も）http://www.liveriga.com/
1188（ラトビアの便利サイト、公共交通機関の検索に）http://www.1188.lv/
Latvijas Vides, Ģeoloģijas Un Meteoroloģijas Centrs
（天気予報）http://www.meteo.lv/

関西日本ラトビア協会 http://www.jlsk-kansai.com/
日本ラトビア音楽協会 http://www.jlv-musica.net/
北海道東川ラトヴィア交流協会 http://www.latvia.eolas-net.ne.jp/

／コンサートも！＼

／イベントも！＼

現地で

× × × × × × × × × × × × × × × × × ×
ツーリスト・インフォメーション・センターへ行ってみよう

　観光地や空港、バスターミナルにあるツーリスト・インフォメーション・センターは緑色の四角形に白抜き文字の「i」が目印。地図やパンフレットなど様々な資料が手に入ります。スタッフは英語が話せるので旅の相談はこちらで。旧市街の市庁舎広場にあるセンターが便利です。場所によって置いている資料が異なることもあるので、緑のマークを見かけたらとりあえず入って確認を。

> ブラックヘッド会館の一角にあり！

215

> 街中にある広告柱にも注目！イベント情報あり

チケットの買い方は…

　コンサートやバレエ・オペラ、アイスホッケー観戦など気になるイベントは事前にチケットを買っておきたいところ。ツーリスト・インフォメーション・センターや各会場でも買えますが、インターネットでも購入できます。下記サイトより該当イベントを検索してクレジットカードで決済し、E-チケットを出力すればOKです。チケットはキオスク"NARVESEN"で受け取れる場合もあります。

Biļešu paradīze http://www.bilesuparadize.lv/
Biļešu serviss http://www.bilesuserviss.lv/

ラトビア豆知識

旅行しやすいラトビアですが、「郷に入っては郷に従え」。基本情報に加えて、注意の必要な点が幾つかあります。

× ×

時差とサマータイム
時差は日本からマイナス7時間。ただしサマータイム（3月最終日曜日〜10月最終日曜日）の期間はマイナス6時間になる。

季節と天気、日照時間
気候は日本と同じく四季があるが、緯度が高いので全体的に温度は低い。夏は晴れると暑いので羽織るものは必要で、真冬には氷点下20度以下になることも。特に季節の変わり目は気温が急変動する。夏至付近は日照時間がかなり長く深夜まで薄明るいが、冬至付近には日照時間が6時間ほどになる。

ビザと滞在期間
日本人の場合、ビザは不要だが、パスポートは90日以上の残存期間が必要。ラトビアはシェンゲン協定に加盟しているので、最初の加盟国入国日から起算して180日間のうち、加盟国全体で合計90日間のみ滞在が可能。

海外旅行保険
滞在期間中を補償する海外旅行保険（治療費用補償と死亡時の移送費用を含む30,000ユーロ以上の保険）への加入が義務付けられている。入国審査でチェックされることがあるので保険証書は必ず手荷物に入れておく。

国際運転免許証
加盟する協定が異なるため、日本で取得した国際運転免許証はラトビアでは使えない。

タックス・フリーの買い物
タックス・フリーの買い物ができるので看板を掲げているお店であれば購入時に手続きを依頼する。還付手続きは空港で出国審査前に行う。

治安
ラトビアの治安は良好であるが、バスターミナルや鉄道駅、中央市場、鉄道沿線から南にかけてはスリなどに注意が必要。

飲酒と喫煙など
公園や道路等公共の場での飲酒は禁止されている。建物内での喫煙も禁止が多いので要注意。歩行者でも交通ルールに気をつけること。

トイレ事情
公園や駅などにある公衆トイレは有料（0.20EUR程度）なので、ホテルやレストランで済ませておきたい。

Wi-Fi事情
リガのWi-Fi環境はかなり良好。公園などかなりの場所でフリーWi-Fiを拾うことができる。Lattelecom社のBezmaksas（無料という意味）から接続。レストランやカフェではパスワードを教えてもらってアクセスできる。

ホテル事情と選び方

ラトビアのホテルライフは快適です。リガはもちろん、田舎でも安心して過ごせます。地方では湖に面したコテージや古城を利用したマナーハウスに泊まることもできます。

× × × × × × × × × × × × × × × × ×

ホテルの予約はインターネットが安くてお得。連泊割引が設定されていることが多いです。高級ホテルからドミトリーまで様々なタイプの宿があるので予算に応じて選べます。価格帯は日本の物価相応で、サマーシーズンは高めに設定されています。リガに宿泊する場合は旧市街かその周辺が便利。英語が通じ、Wi-Fiも完備、朝食（ビュッフェ式が多い）もあわせて頼んでおけば安心です。一見古い施設でも清潔に保たれていて、バスタオルが用意されていることが大半です。

ホテル検索サイトは、サイトによって取り扱うホテルが異なるので比較して検討したいところです。

ホテル検索サイト
http://www.allhotels.lv/
http://www.hotels.com/
http://www.booking.com/
https://www.expedia.co.jp/

民泊システムを利用しよう

滞在中ラトビアっ子のような生活を送るならアパート暮らしがお勧めです。Airbnb（https://www.airbnb.jp/）などのサービスを利用すれば現地の人が所有する空き家や部屋を借りることができます。食事はもちろん自炊。市場やスーパーで買い物をし、用事を済ませ、住んでいるかのような滞在を。

ラトビア語の地図の見方

ラトビアの街歩きには地図が必須。ツーリスト・インフォメーション・センターでもらったり、本屋さんで買うなどして、通りの名が入った地図を手に入れます。

ラトビアではすべての通りに名前がついていて、住所表示は「通り名＋番地」になっています。ラトビア語で「通り」は「イアラ (iela)」、「Brīvības iela」は「ブリーヴィーバス通り」の意味です。通りを挟んだ両サイドの建物に端からだいたい交互に番地が割り振られていて、壁のどこかに藍色のプレートで番号が記されています。通り名を確認して一番近い交差点を目指し、プレートの番号を確認しながら進むと目的地に辿り着けます。

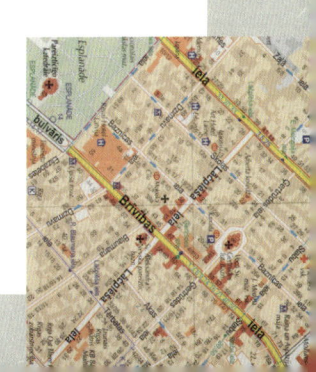

お金のこと

2014年1月1日にラトビアは自国通貨ラッツからユーロへ移行しました。バルト三国はすべてユーロ通貨なので国境をまたぐ旅行もスムーズに行えます。

× ×

両替

空港を始め市内のいたる所に銀行や両替所があり、日本円から直接換金できます。レートや手数料はバラバラなので注意が必要。両替額は日本で使う金額の8-9割程度が目安です。銀行は「日本円」の表示が無くても換金できるところが大半、番号札を取って順番を待ちます。ATMも便利です。英語表記があり、リガはもちろん地方でも24時間稼働しているATMがあるのでいつでもキャッシングできます。国際キャッシュカードも利用可能。機械によって限度額が異なります。

支払い

クレジットカードが広く使えるので店頭での支払いは基本的にクレジットカードにしてもOKです。ただし、民芸市や市場、イベントブースでは現金払いが大半です。レストランでの支払いは着席のまま行います。店員さんに声をかけると明細書が入った小箱やバインダーを持ってきてくれます。明細書をそのままにしてお金を入れると入れ物が回収され、レシートとお釣りが同じ容器で戻ってきます。クレジットカードで払う場合は、機械を持ってきてくれるかレジに呼ばれるのでそこで決済を行います。ラトビアには元々チップの文化はありませんが、観光地や高級レストラン等ではお釣りが出ないよう5-10％のチップを払うとスマートです。

お得なカード

長めに滞在する時や同じ店で何度も買い物をする時は、お店がくれるポイントカードやショッピング割引カードを利用するとお得に買い物できます。

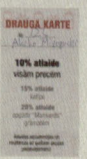

ラトビアのユーロコインの裏側は…

ユーロ通貨では硬貨の片面は加盟国独自のデザインが認められています。アイデンティティの象徴だったラッツからユーロへ移行したラトビアのユーロコインには、一度目の独立の際の5ラッツ通貨と同じ女性の柄が採用されています。この女性像は実在の人物をモデルに描かれたラトビアの伝統文化を象徴する女性といわれており、再び表舞台に戻ってきました。セントコインにはラトビアの国章が描かれています。

旅の持ち物

「あったら便利」も詰め込んで旅の支度を整えます。絶対に必要なパスポートなどを忘れなければ、他は現地でも調達できるので安心です。

219

必需品

パスポート、現金やクレジットカード類、航空券などのE-チケット、海外旅行保険証書、モバイル端末と充電器、衣服類（温度調節できるもの、夏でも羽織り物やストールは必須）や身の回り品、ガイドブック

あると便利なもの

メモと筆記具（チケットを買う時などの筆談に）、折り畳み傘と長靴（排水が悪い）、おしゃれ着（オペラや音楽会などを鑑賞するならドレスアップを）、エアクッションやガムテープなどの梱包資材（現地でも購入可能）

広げると大きくなるバッグは民芸市で大活躍。段ボールが入るサイズだと荷物を発送する際にも便利。リガは石畳なのでカートはNG。

ラトビアの電圧220V、周波数50Hz、ヨーロッパC型のプラグ。延長コードがあればプラグ1つで複数機器を充電できる。

現地調達アイテム

ラトビア語−英語のミニミニ辞書。とっさの際に役に立つ。

小さくなるRimiのエコバッグ。スーパーの袋は有料なので繰り返しの買い物に重宝する。

外国のハサミはどこかお洒落。滞在中なにかと必要で、帰国後は自分へのお土産に。

ガイドブックやマップの英語版。日本で手に入りにくい地方の情報も記載されている。

モバイルショップで売っているプリペイド式携帯電話。ラトビア国内での連絡に便利。

バスにしようか？
それとも鉄道？
のんびりゆっくり旅しよう。

WC
WC
BANKA
50 eiro minimālais nodoklis valsts budžetam dos miljonus
6
7

ラトビアの交通事情

国土が小さいラトビアでは遠方の町でも日帰り〜二泊で小旅行を楽しめます。高速道路や特急列車はありませんが、車窓の景色を眺めながらゆったりとした旅を楽しめます。

基本的な移動手段

国内の移動手段はバスか鉄道。特にほぼすべての町を網羅し、本数の多いバスが便利です。

バスで移動

切符はバスターミナルの窓口で買います。乗車後に運転手さんからも買えますが、窓口で買う方が少し安く、ミニバスの場合、座席が無くなることもあるので窓口購入がベター。目的地と出発時刻を描いたメモを見せるとスムーズに買えます。レシートがチケットを兼ねています。
http://www.autoosta.lv/

バスターミナル（Autoosta）に入ると正面に窓口が並んでいる。端には時刻表も。

チケットに記載されている番号のプラットフォーム（Platforma）で待つ。

町中心部以外のバス停はこの標識が目印。

チケット記載の座席番号（Vieta）のシートへ。検札が来ることがあるのでチケットは捨てない。

● バスで国境越え

近隣諸国との行き来は快適な国際路線バスで。便利なのはLux Express (http://www.luxexpress.eu/) とEcolines (https://www.ecolines.net/) で、それぞれターミナル内に窓口があります。ハイシーズンは混むので事前にチケットを買っておく方が安心で、インターネットでの購入が一番安い。エストニア（Igaunija）のタリン（Tallina）には約4時間半で、リトアニア（Lietuva）のヴィリニュス（Viļņa）には約4時間で到着します。

ターミナル内にあるバス会社のオフィス窓口。プラットフォームは国内線と同じ。

国境越えの審査はないが、抜き打ちでパスポートチェックが。

鉄道で移動

バス移動が便利なラトビアですが、スィグルダ（Sigulda）など主要な観光地には鉄道でも行けます。切符は駅の中にある国内線専用の窓口（Kase）で買います。バスと同じでレシートが切符を兼ねています。小さな駅などで事前に切符を買えない場合は乗車後に車掌さんから買うことになりますが、少し高めです。
http://www.pv.lv/

ショッピングモールを兼ねた鉄道駅。

検札後切符（レシート）の裏側にスタンプが押されるので無くさないように。左は車内で買った手書きの切符。

掲示板でプラットフォーム番号（Ceļš）を確認して乗車。座席は自由。改札は無く、出発後に車掌さんが回ってくる。

チェックしまーす

● 鉄道で国境越え

ロシアやベラルーシなどへは鉄道でも移動できます。駅の中にある国際線専用の窓口で切符を買えますが、ビザがいるので事前に準備が必要です。
http://www.ldz.lv/

国境のある町 "Valka"

ラトビア北部にあるヴァルカ（Valka、エストニア語ではヴァルガ／Valga）は、1つの町の中にラトビアとエストニアの国境線がある珍しい町です。同じ町なのに数10メートル歩けば看板の言語から郵便ポスト、消火栓まですべて様変わりします。検問所跡は残っていますが、今は2国を歩いて自由に行き来できます。

リガ市内の移動方法

公共交通機関が発達しているリガ市内はコツがわかれば移動は簡単。タクシー移動もお勧めです。

× ×

タクシーは電話で呼ぶ

料金が安いので複数名でバスを乗り継ぐならタクシーを利用する方がお得です。基本的に街中では流しのタクシーは少ないので、ホテルのフロントで呼んでもらうか、電話で呼びます。メーター制。

TEL：Baltic Taxi－8500、Red Cab－8383

× ×

バス・トロリーバス・トラムを使いこなそう

リガ市内はバス・トロリーバス・トラムが網の目のように運航しています。どれも共通の乗車券で乗れるので、使いこなすととても便利です。運転手さんから乗車券を買うと少し高くお釣りが無いことも多いので、キオスクや自販機でプリペイドカードを買っておくこと。建国記念日や夏至休暇など年に数日間、全線無料になります。

停留所（Pietura）の仕様も共通、屋根が無いことも。同じ番号でも乗り物の種類が異なれば全く違う路線になるので要注意。

キオスク"NARVESEN"の看板。プリペイドカードのエタロンス（e-Talons）は1回用から20回用まで売っていて多いほど割安。

時刻表の見方
❶色は、青がバス、黄がトロリーバス、赤がトラム。数字は路線番号 ❷停留所名 ❸平日／休日ダイヤの別 ❹起点と終点の停留所 ❺乗り物のイラスト ❻全停留所

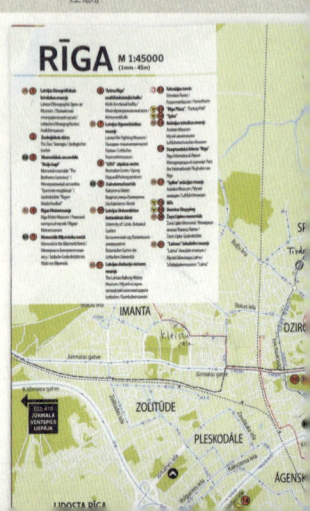

プリペイドカードは乗車してすぐ車内にある端末にタッチする。検札官のチェックもしばしば。車内で支払った場合はレシートを無くさないこと。

ツーリスト・インフォメーション・センターで貰えるこの路線図とリガ市交通局公式サイト（https://www.rigassatiksme.lv/）を使えばばっちり乗りこなせる。

バス Autobuss

路線が一番多い。1番は野外博物館行き、22番は空港行き。下車ボタンを押しておかないと通過されるので注意。扉の開け閉めもドア付近のボタンで行う。

看板の目印　　時刻表のイラスト

トロリーバス Trolejbuss

運行本数が多い。上部から架線で繋がっているのが目印。

看板の目印　　時刻表のイラスト

トラム Tramvajs

路線が少ない。軌道のある路面電車で道路の中央で乗り降りするので通行車両に注意が必要。11番は森林植物園行き。

看板の目印　　時刻表のイラスト

レンタルサイクルも便利！

　リガ市内には好きな場所で乗り降りできる自転車レンタルのスタンドがいくつもあります。自転車はラトビアでかなり人気のレジャー。道路の起伏は小さく、自転車専用道の整備も少しずつ進んでいます。気分転換に自転車での移動もお勧め。違った景色が見えてきます。
http://www.sixtbicycle.lv/en

荷物の送り方

ラトビアの郵便事情はとても優秀。航空便なら5－10日あれば日本の送り先に届きます。

× ×

1. 箱を手に入れる

基本は郵便局で箱を買う。大きい箱は資材屋さん。

郵便局で販売している段ボールは組み立て式なのでガムテープ要らず。丈夫で宛先欄も印刷されているので使いやすいのですが、小さいのが難点です。これより大きい段ボールは町の資材屋さんで購入できます。宿から郵便局までの運搬を考えると、両手で抱えることができるサイズにしておくと安心です。

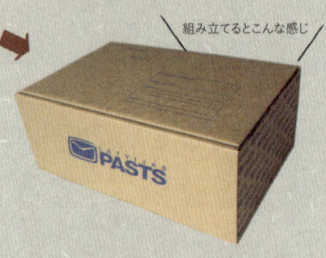

郵便局の箱は簡単に組み立てることができます。

組み立てるとこんな感じ

2. 詰める

詰め方のコツは、蓋を閉めて箱を持ち上げて揺さぶった時に中身が動かないかどうか。揺らした時に中でアイテムが動いたりぶつかったりするようなら危険です。長い道中手荒い扱いを受けるので、それに負けないよう梱包しておく必要があります。クッション材を挟んでできるだけ入れ子式にし、グルグルと包みます。スーパーマーケットに置いてあるチラシなどを集めておくと包んだり、間詰めに使えて便利です。エアークッションは資材屋さんでも買えますが、あまり質が良くないので日本から持っていくという作戦も。ハサミやガムテープの他に必要なものは、本屋さんにある文具コーナーで購入できます。

227

3. 郵便局へ持ち込む

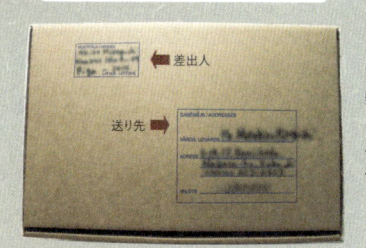

箱の上面に送り先と差出人の住所・氏名をローマ字で書き、蓋を開けたままの状態で郵便局へ持っていきます。石畳ではカートが余り役に立たないので両手で持てる大きさ、重さが限界です。雨や雪なら郵便局までの道中、地面に置いて休憩できないことも。箱ごと入るような大きなバッグがあれば少し楽に運べます。思い切ってタクシーで郵便局まで行くという手も。

← 差出人
送り先 →

郵便局 INFOMĀCIJA

Pasta centrs "Sakta" (Brīvības bulvāris 32)
中央郵便局、便利なロケーションで休みは日曜日のみ。
Rīgas 50. pasta nodaļa (Stacijas laukums 2)
鉄道駅モール内の郵便局、定休日無し。
公式サイト (http://www.pasts.lv/) にて郵便局の検索、送料計算、郵便物の追跡ができる。

4. 郵便局にて

郵便局内の用紙ホルダーにある下記の送り状を取って必要事項を英語で記入します。用紙は複写式になっているのでボールペンでしっかり書き込みます。

1. 送り状を取って記入する

送り状の書き方

❶差出人の氏名・住所・郵便番号・国名（Latvia）❷受取人の氏名・住所・郵便番号・国名（Japan）❸品名・数量・重量（省略可）・価格小計 ❹価格合計 ❺値段はほぼ変わらないので「A」にチェック ❻該当項目をチェック（通常はGift）❼日付（日・月・年の順）とサイン

2. 番号札を取って順番を待つ

番号札の無い郵便局から発送する場合は明確な列が無いので、自分の前のお客さんを覚えておいて順番を待ちます。

プチ情報

お土産用の切手をゲット！

郵便窓口では記念切手を購入できます。

3. 窓口から発送する

　封を開けた状態の箱と送り状を局員さんに渡します。割れ物や液体が入ってないかチェックを受けたあとで、局員さんが郵便局専用のガムテープで封をしてくれます。支払いを済ませる（クレジットカード払いもOK）と、レシートと送り状の控えを貰えるので大切に保管を。局員さんによってはレシートしか貰えない場合もありますが心配無用です。レシートと送り状に記載されている追跡番号を入力すると郵便局のサイトから配送状況を追跡できます。

送り状の控えは大事に保管！

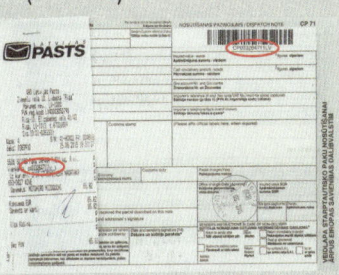

囲み部分が追跡番号

5. 日本で受け取る

　通関手続きは郵便局が行ってくれます。受け取り時に関税がかかった場合はその場で支払いを済ませます。

荷物はこんな風に届きます！

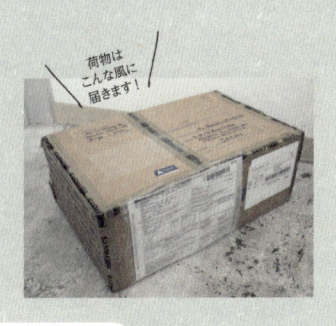

荷造りする前に…

送る？ 送れる？ 手荷物にする？

　ラトビアから日本への送料は高いです。航空便が標準で、1kgで約20ユーロ、その後1kg増えるごとに料金が加算され5kgで約46ユーロ、10kgで約80ユーロかかります。航空会社によっては追加料金を支払ってでも重量超過荷物として持ち帰った方が安い場合があります。また、液体や割れ物は窓口でチェックされ、担当局員さんによっては送れないことも。乱雑に扱われても問題ない布類や軽くてかさばるアイテムは郵便で送り、割れ物は大きなバスケットを買って詰め込み、機内に預けず手荷物として持ち帰るなどの工夫が必要です。

プチ情報

ハガキや封書は自分で投函も

ラトビアの郵便ポストは黄色が目印です。

使えるラトビア語

公用語はラトビア語ですが、英語もかなり通じます。一方、小国が大切にしてきた独自の言語"ラトビア語"を少しでも口にするととても喜ばれ、「ありがとう」だけでも相手との心の距離がグンと近づきます。

●文法はとても難解ですが、アルファベットは英語とほぼ同じで発音もしやすく案外馴染みやすいラトビア語。ローマ字読みをし、アクセントを第一音節につければOKです。

挨拶

おはよう。／Labrīt.／ラブリート
こんにちは。／Labdien.／ラブディエン
こんばんは。／Labvakr.／ラブヴァカル
初めまして。／Ļoti patīkami.／リュアティ パティーカミ
私の名前は○○です。／Mani sauc ○○.／マニ サウツ ○○
私は日本人です。／Es esmu japānis（男性）・japāniete（女性）.／エス アスム ヤパーニス・ヤパーニエテ
さようなら。／Uz redzēšanos.／ウズ レゼーシャヌアス

基本のフレーズ

はい。／Jā.／ヤー
いいえ。／Nē.／ネー
(どうも)ありがとう。／(Liels) paldies.／(リエルス)パルディエス
どうぞ。／Lūdzu.／ルーズ
すみません。／Atvainojiet.／アトヴァイヌアイエト
私は英語を話せます。／Es runāju angliski.／エス ルナーユ アングリスキ。
私はラトビア語を話せません。／Es nerunāju latviski.／エス ネルナーユ ラトヴィスキ。
(とても)良い。／Ļoti labi.／(リュアティ)ラビ
(とても)おいしい。／Ļoti garšīgi.／(リュアティ)ガルシーギ
私は○○が好きです。／Man patīk ○○.／マン パティーク ○○。
私は○○が欲しいです。／Es gribu ○○.／エス グリーブ ○○。
私は○○を探しています。／Es meklēju ○○.／エス メクレーユ ○○。
これは何ですか？／Kas šis ir？／カス シス イル？
○○はどこですか？／Kur ir ○○？／クル イル ○○？
○○は何時に始まりますか？／Cikos sākas ○○？／ツィコアス サーカス ○○？
いつですか？／Kad？／カド？
○○はいくらですか？／Cik maksā ○○？／チック マクサー ○○？

基本の単語

日本／Japāna／ヤパーナ
リガ旧市街／vecrīga／ヴェッツリーガ
町／pilsēta／ピルセータ
城／pils／ピルス
博物館、美術館／muzejs／ムゼイス
広場／laukums／ラウクムス
市場／tirgus／ティルグス
店／veikals／ヴェイカルス
薬局／aptieka／アプティアカ
銀行／banka／バンカ
郵便局／pasta nodaļa／パスタ・ヌアダリャ
ホテル／viesnīca／ヴィアスニーツァ
大使館／vēstniecība／ヴェーストニアチーバ
駅／stacija／スタツィヤ
バスターミナル／autoosta／アウトーウアスタ
空港／lidosta／リドゥアスタ
港／osta／ウアスタ

日本語	ラトビア語	読み
自動車	(auto)mašīna	(アウト)マシーナ
ホール	zāle	ザーレ
コンサート	koncerts	コンツェルツ
トイレ	tualete	トゥアレテ
入口	ieeja	イアエヤ
出口	izeja	イゼヤ
レジ	kase	カッセ
開店中	atvērts	アトヴェールツ
閉店中	slēgts	スレーグツ
営業時間	darba laiks	ダルバ ライクス
休日	brīvdiena	ブリーヴディアナ
住所	adrese	アドレセ
電話番号	tālruņa numurs	タールルニャ ヌムルス
e-mail	e-pasts	エーパスツ
切手	pastmarka	パストマルカ
本	grāmata	グラーマタ
切符	biļete	ビリェテ
列	rinda	リンダ
席	vieta	ヴィアタ
右側	pa labi	パ ラビ
左側	pa kreisi	パ クレイスィ
値段	cena	ツェナ
ユーロ	eiro	エイロ
セント	cents	ツェンツ
現金	skaidra nauda	スカイドラ ナウダ
クレジットカード	kredītkarte	クレディート カルテ
無料	bezmaksas か brīva	ベズマクサス もしくは ブリーヴァ
昨日	vakar	ヴァカル
今日	šodien	シュアディアン
明日	rīt	リートゥ
月曜日	pirmdiena	ピルムディアナ／省略時はPか1
火曜日	otrdiena	ウァトロディアナ／省略時はOか2
水曜日	trešdiena	トレシュディアナ／省略時はTか3
木曜日	ceturtdiena	ツェトゥルディアナ／省略時はCか4
金曜日	piektdiena	ピエクディアナ／省略時はPか5
土曜日	sestdiena	セズディアナ／省略時はSか6
日曜日	svētdiena	スヴェーディアナ／省略時はSvか7
朝食	brokastis	ブルアカスティス
昼食	pusdienas	プスディアナス
夕食	vakariņas	ヴァカリニャス
飲み物	dzēriens	ゼーリアンス
水	ūdens	ウーデンス
ガス入り	gāzēts	ガーゼーツ
ガス無し	negāzēts	ネガーゼーツ
コーヒー	kafija	カフィヤ
紅茶	melnā tēja	メルナー テーヤ
ビール	alus	アルス
ワイン	vīns	ヴィーンス
ジュース	sula	スラ
砂糖	cukurs	ツクルス
ミルク	piens	ピアンス
前菜	uzkodas	ウズコアダス
スープ	zupa	ズッパ
サラダ	salāti	サラーティ
メインコース	pamatēdiens	パマテーディアンス
肉	gaļa	ガリャ
魚	zivs	ズィヴス
アイスクリーム	saldējums	サルデーユムス

すぐに役立つ！英語 ラトビア語の辞書

ラトビア語に興味があれば現地で辞書や文法書を買っておきたいところ。日本では手に入らない英語解説つきの書籍がたくさんあります。

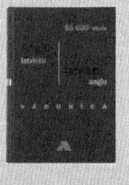

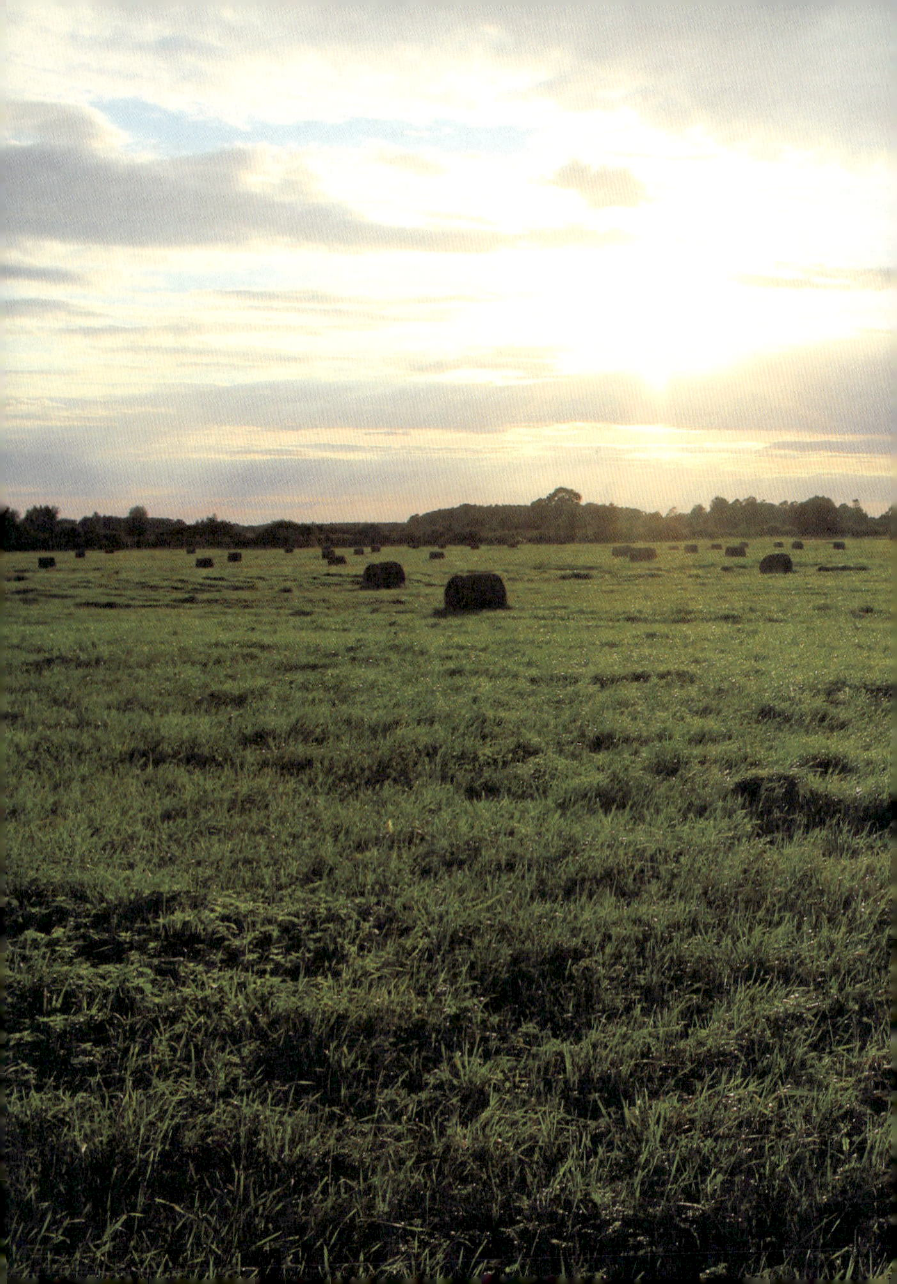

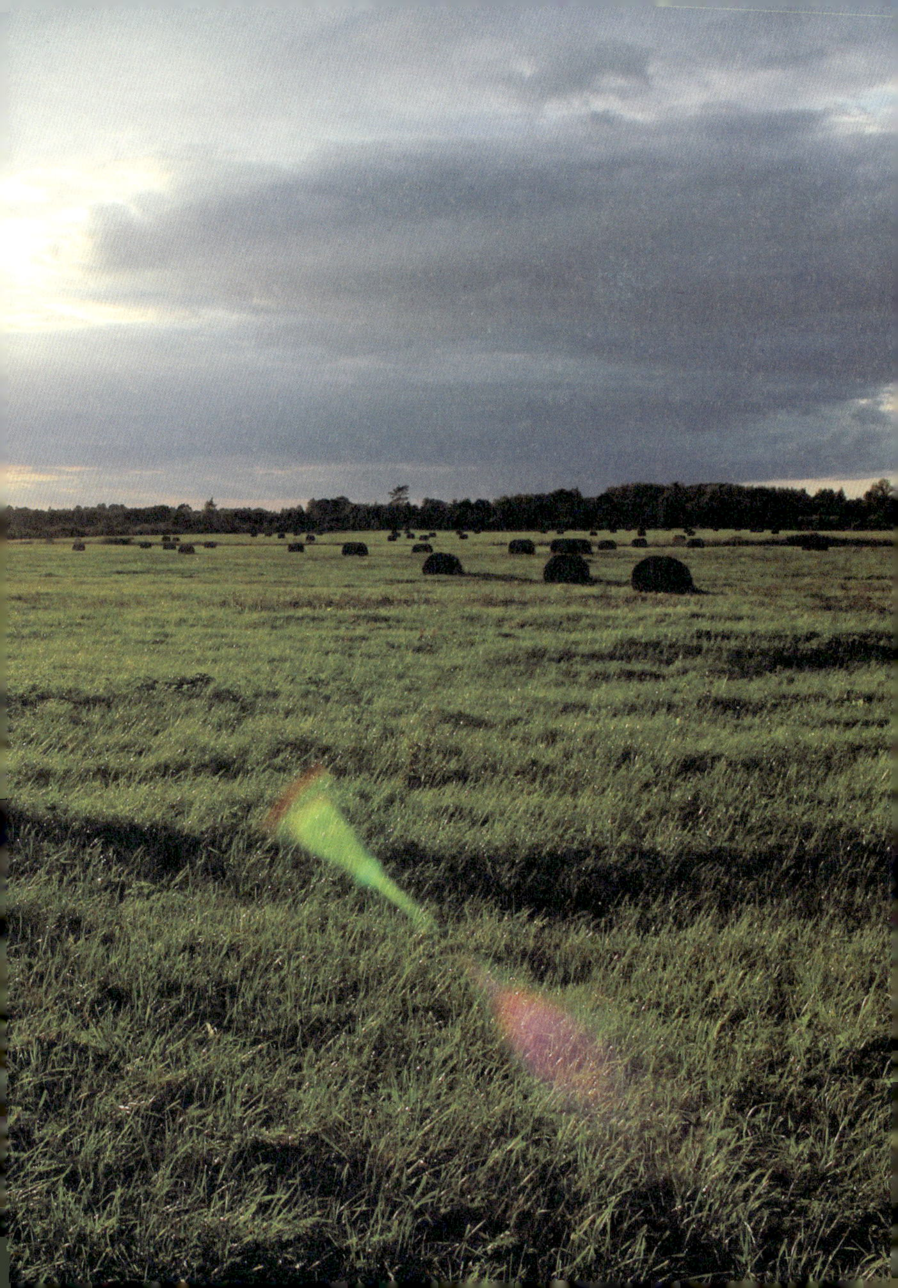

234

あとがき

　最初にラトビアを訪れたのは2009年7月、太陽がいつまでも高く、花が咲き乱れる季節でした。その2年後に今度は初めてLigo（夏至祭）に連れて行ってもらい、普段は都会でバリバリと働く友人が自然の中で家族や親しい人達と時を忘れて寛した姿に「世の中にこんな時間の過ごし方があるのか」と人生観が変わった一夜となりました。その後、準備を整えてラトビアへ移ったのですが、現地で生活してみると余りにも快適で心地よく、日本での時間の経ち方が忙しなく感じるようになりました。リガは見るものすべてが美しく絵になる街。そこで暮らす人々はアーティスティックでどこかのんびり。そして人々はめぐる季節に寄り添った暮らしを楽しんでいるように思えたのです。

　民俗学の権威ヤニーナ・クルシーテ・パクレ教授にインタビューをした際に、ラトビアと日本の年中行事はとても似ていて、民族的に近い隣国リトアニアよりも類似性が高いと教えてもらいました。私がラトビアへ抱く感情というのは、懐かしい故郷を求めるような郷愁にも似た気持ちなのですが、これこそがその理由だったのでしょう。昔の日本を手放しで賞賛し、現在のラトビアが抱える社会問題を無視するわけではありませんが、日本の社会が前に進むと同時に失ってしまったものが、ラトビアには残っているように感じるのです。1991年に再独立を果たしたラトビア。折に触れて色々な話を聞きはしますが、人々の過去の苦しみは私には想像もできません。ですが、それでも自然を愛で、歌で繋がり、伝統を守り、芸術を愛し、小さな国でもラトビア人としてのアイデンティティを保ち続けている姿に胸が締めつけられる思いがするのです。ラトビアという国を知れたことで、ラトビアの人々と仲良くなれたことで、私は心が豊かに、人生が豊かになった気がします。

　街歩きに芸術鑑賞、お買い物や美味しいお料理と、どの角度からでも楽しめるラトビア。少しでも興味をお持ちになった方は、是非一度訪れてみて下さい。そしてできれば少しでも長く、少しでも深い旅行をなさってください。多彩な楽しみ方があるラトビアですが、本当の素晴らしさは日々移ろう自然やラトビア人の中にあると思うのです。

　最後になりましたが、ずっと近くで支えてくれる家族、いつも気にかけてくれる親戚、応援してくれる友達、SUBARUを見守ってくださる皆様、より深くラトビアを知るきっかけを与えてくださった関西日本ラトビア協会の皆様、そしてラトビアで出会えた皆さんとこの本に関わってくださった皆さんに伝えきれない感謝の気持ちを記して終わりたいと思います。Liels, liels paldies visiem!!!

236

SUBARU

〒650-0024　神戸市中央区海岸通1-2-14 中村ビル2F
TEL：078-331-1884
http://www.subaru-zakka.com/

ラトビア雑貨の専門店。実店舗は不定期で営業。イベントやワークショップ、ラトビア伝統音楽のライブを開催するなど、様々な角度からラトビアの伝統や魅力を伝えるべく活動している。

238